철학 논술
자기주도학습

아비투어

철학 논술 자기주도학습 8

ⓒ 이지영, 정명환

2판 2쇄 발행일 | 2020년 8월 18일

지은이 | 이지영, 정명환
펴낸이 | 정은영
펴낸곳 | (주)자음과모음

출판등록 | 2001년 11월 28일 제2001-000259호
주   소 | 04047 서울시 마포구 양화로6길 49
전   화 | 편집부 (02)324-2347, 경영지원부 (02)325-6047
팩   스 | 편집부 (02)324-2348, 경영지원부 (02)2648-1311
e-mail | jamoteen@jamobook.com

ISBN | 978-89-544-3770-7 (03100)

• 잘못된 책은 교환해 드립니다.

아비투어

철학 논술
자기주도학습

철학자가 들려주는 철학이야기 071~080

8

|주|자음과모음

차례

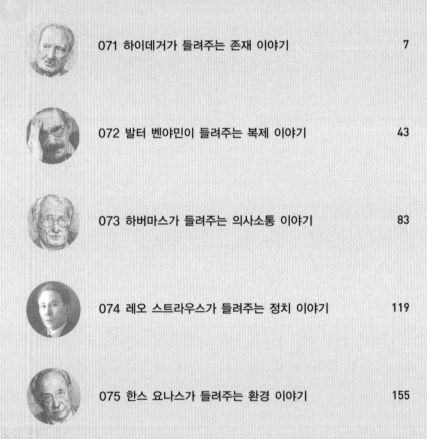

071 하이데거가 들려주는 존재 이야기   7

072 발터 벤야민이 들려주는 복제 이야기   43

073 하버마스가 들려주는 의사소통 이야기   83

074 레오 스트라우스가 들려주는 정치 이야기   119

075 한스 요나스가 들려주는 환경 이야기   155

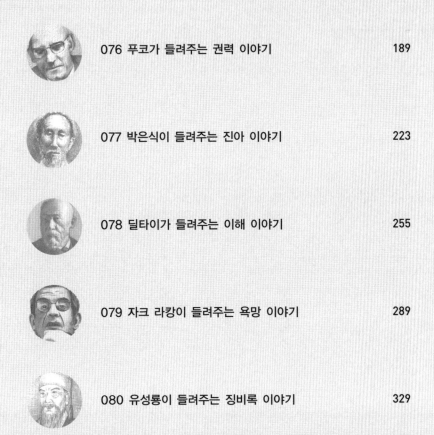

076 푸코가 들려주는 권력 이야기   189

077 박은식이 들려주는 진아 이야기   223

078 딜타이가 들려주는 이해 이야기   255

079 자크 라캉이 들려주는 욕망 이야기   289

080 유성룡이 들려주는 징비록 이야기   329

Abitur

철학자가 들려주는 철학이야기 071

하이데거가 들려주는 존재 이야기

저자_이지영

연세대학교 사회학과를 졸업하고, 연세대학교 대학원에서 사회학 석사 학위를 받았다. 이후 서울 주요 논술학원에서 인문계 논술강사로 활동하고 있으며, 〈박학천 아작 정시 논술〉, 〈박학천 아작 수시 논술〉, 〈한솔 M 플라톤 논술〉시리즈 등 다수의 논술 교재를 집필했다.

Martin Heidegger

하이데거와
'존재'

하이데거 주요 개념

1. 하이데거를 만나다

1) 마르틴 하이데거 — 시대와 생애

마르틴 하이데거(Martin Heidegger, 1889~1976)는 독일에서 태어난 철학자로, 독일 실존철학을 대표한다. 현상학의 대표적인 학자인 후설(Husserl)의 제자로서, 마르부르크 대학, 프라이부르크 대학에서 강의를 하고, 총장을 지내기도 했다. 그러다가, 제 2차 세계대전 중에 나치스에 협력했다는 이유로 전쟁이 끝난 이후 한때 추방되기도 하였으나, 다시 복직하여 대학에서 강의를 계속 하였다. 《존재와 시간(1927)》, 《칸트와 형이상학의 문제(1929)》, 《형이상학이란 무엇인가(1929)》, 《휴머니즘에 관하여(1947)》, 《숲길(1950)》, 《니체(1961)》 등의 저서가 있다. 특히 《존재와 시간》은 하이데거를 유명하게 만든 대표적인 저서로, 이 책에서 '인간' 이라는 말 대신 '실존하고 있다' 는 의미를 강조한 '현존재(現存在)' 라는 말을 사용하였다. 다른 사람이 살아가는 방식에 자신을 맞추지 말고, 자기 현존재에 맞는 고유한 삶의 방식을 가져야 한다고 말한다.

다양한 차이들이 있지만, 서양철학의 흐름은 크게 존재론과 인식론으로 나누어진다. 존재론이란 "……이란 무엇인가?"라는 질문을 통하여 세계를 이해하려는 관점이다. 고대 그리스 철학자들은 "세상의 만물을 이루는 궁극적인 요소는 무엇인가"라고 질문했고, 물, 흙, 불, 공기의 4가지 속에서 그 답을 찾으려고 했다. 그런데 이러한 철학적인 질문은 근대 이후 인식론적 질문으로 바뀌게 된다. 데카르트의 "나는 생각한다, 그러므로 존재한다"라는 말은 인간이 어떻게 세상을 알 수 있는지에 대한 질문이다. 이러한 인식론의 흐름에 또 다시 존재론적 질문을 한 것이 바로 하이데거이다. 그렇다면 하이데거의 존재론은 어떤 것인지 알아보자.

2) '세계-내-존재(In-derwelt-sein)', '현존재(現存在), 실존(實存)

인식론이란 인간과 세계를 나누어서 인식의 주체인 인간과 인식의 대상인 세계 사이의 관계를 끊임없이 추적하는 것이다. 그런데 인간과 세계가 칼로 두부를 자르듯이 매끈하게 구분되지 않는다. 어디까지가 인간이고, 어디까지가 세계일까? 예를 들어, 무인도에 홀로 살아가는 인간을 우리는 인간이라고 부를 수 있을까? 세계에서 떨어져서 살아가는 인간을 인간이라고 부르기 어렵듯이 인간은 세계와 항상 떨어질 수 없는 관계 속에서 살아간다. 인간은 무인도가 아닌 세상에서 다른 존재들과 함께 살아가는 것이다. 그렇기 때문에 하이데거는 이러한 인간을 '세계-내-존재'라고 불렀으며, 인식론적 관점이 아닌 존재론적 관점에서 인간을 파악해야 한다고 보았다.

우리 주변에는 수많은 존재들이 있다. 나를 포함한 사람도 존재이고, 집에서 키우는 동물들도 존재이며, 꽃이나 나무들도 존재이다. 생명을 가지고 있지는 않지만, 길가의 돌이나 책상, 컴퓨터와 같은 것들도 존재이다. 모두 '있는 것' 즉, 존재(存在)하기 때문이다. 그런데 하이데거는 이런 존재들이 모두 똑같은 것은 아니라고 보았다. 돌이나 컴퓨터, 고양이나 들국화는 자신이 왜 존재하는지를 알 수 없고, 알려고 하지도 못하기 때문이다. 오직 인간만이 스스로 자신의 존재에 대해 생각하고 질문할 수 있다. "나는 누굴까?" "나는 어떻게 살아가고 있을까?" 혹은 "나는 어떻게 살아가야 할까?"와 같은 질문 말이다. 이렇게 인간은 다른 존재들과는 존재에 대해 생각하고 질문할 수 있는데, 이것을 하이데거는 '현존재(現存在)'라고 불렀다. 한편 하이데거는 세상에 존재하는 모든 존재들을 다른 것에 의존하여 살아가는 존재와 다른 것에 의존하지 않고 주체적으로 살아가는 존재로 구분하였다. 이 중 뒤의 존재는 자신의 존재의미를 스스로 생각하고 반성하여 이해할 수 있는 존재이다. 하이데거는 이것을 '실존(實存)'이라고 불렀다. 그런데 인간이 다른 존재들과는 달리 '현존재'로 실존하려면 주체성이 있어야 한다. 다른 사람의 가치 기준에 맞추는 것이 아니라, 자신의 중심을 잃지 않고 살아가야 한다는 것이다. 우리 속담에 '거름지고 장에 간다'라는 말이 있다. 남들이 하니까 나도 그냥 따라한다는 뜻으로 주체성이 없는 태도이다. 하이데거는 이것은 현존재의 실존적 삶이 아니라고 보았다.

3) 본래적인 삶과 비본래적인 삶

하이데거의 철학에 있어서 가장 중요한 것은 '존재한다'는 것이 무엇을 의미하는가이다. 그런데 세상에는 남에게 의존하지 않고 스스로 살아가는 존재와 다른 것들에 의존하면서 살아가는 존재가 있는데, 스스로 살아가는 존재를 '본래적 존재'라고 부른다. 이때 주의할 것이 있는데, 남에게 의존하지 않는다는 것은 세상에서 고립되어 홀로 살아간다는 의미가 아니라, 자신에게 주어진 문제에 대한 답을 다른 사람에게 구하지 않고 스스로 답을 찾고 스스로 자신의 삶을 결정한다는 뜻이다. 이런 삶을 '본래적 삶'이라고 불렀다. 즉, 하이데거가 말하는 '본래적 삶'이란, 스스로 자신과 세계의 존재에 대하여 깨달으면서 질문을 하는 '현존재'인 인간이 주체성을 가지고 살아가는 '실존'적인 삶을 뜻하는 것이다.

그런데 존재라는 것은 눈에 보이지 않는 것들까지 모두 포함하는 것이다. 과거에 존재했던 것이나 눈으로 볼 수 없는 정신적인 것들까지 모두 포함된다. 그런데 사람들은 눈에 보이는 것에만 관심을 둔 나머지 정신(情神)과 같은 눈에 보이지 않는 존재들에 대해서 소홀하기 쉽다. 이를 하이데거는 '존재망각'이라고 부르는데, 현대인들이 정신의 소중함과 존재의 의미를 깨닫지 못한다고 비판한다. 특히 현대인들은 물질적인 이익만을 추구하면서 살아가는 경향이 강하기 때문이다. 뿐만 아니라, 자신이 어떤 존재이며, 어떻게 살아가는지, 어떻게 살아가야 하는지에 대해서도 질문하지 않고, 그저 하루하루를 살아갈 뿐이다. 더구나 자신이 아닌 남들이 정해놓은 삶의 방식을 따라서 살아가는 주체성 없는 삶을 살아가고 있다. 하이데거는 이를 '비본래적 삶'이라고 불렀는데, 인간은 이러한 상태에서 벗어나 '본래적 삶'을 살아가야 한다고 주장했다.

우리는 매일 학교에 가거나 직장에 가면서 별 생각 없이 일상생활을 하게 된다. 내가 왜 학교에 가는지, 왜 직장에 가서 일을 하는지 자신과 자신의 행위에 대하여 별다른 질문 없이, 바쁜 일상을 그냥 살아가는 것이다. 이러한 과정 속에서 스스로의 존재에 대하여 생각하게 되는 것이다. 하이데거는 존재자들의 존재, 본래적인 존재가 확실하게 드러나게 만드는 사건들이 있다고 보았다. 예를 들어, 예상치 못한 사건이 일어났을 때, 우리는 우리의 삶을 되돌아보면서 자신과 자신의 생활에 대하여 질문을 하게 되는 것이다. 그런데 하이데거는 이러한 질문들을 계속하면서, 그 답을 찾기 위해 끊임없이 생각하고 고민해야 한다고 보았다. 이러한 질문과 답을 찾는 과정 속에서 인간은 실존적인 삶을 살아가게 되는 것이다. 자신의 존재를 망각한 채 무엇이 가치 있는 삶인지 질문하지 않는 삶, 즉 비본래적 삶에서 스스로의 삶에 있어 주인이 되는 주체적인 삶을 살아가야 한다는 것이다.

실존(實存)

실존이란 인간과 세계를 분리해서 생각하지 않고, 인간을 항상 구체적인 상황 속에서 파악하려는 관점이다. 인간은 세계와 분리되지 않고, 분리될 수도 없다. 인간 외부에 있는 사물은 자체로 존재의 근거가 있지만, 인간은 늘 자신의 바깥에 있는 세상을 향하여 존재하고, 세상에 따라 끊임없이 달라지기 때문이다. 따라서 인간은 모든 것을 원인과 결과로 나누고, 주체와 대상으로 분리하여 생각하는 이성의 관점으로는 파악할 수 없는 것이다.

세계와 분리하여 인간의 본질을 탐구하는 "인간이란 무엇인가"라는 이성적이고 합리적인 질문은 애초에 성립할 수 없다고 본다. 인간은 세상 속에서 우연적이고 비합리적인 존재로 살아가기 때문이다. 조금씩 다른 관점을 보이고는 있지만 키에르케고르(Kierkegaard), 니체(Nietzsche), 하이데거(Heidegger), 사르트르(Sartre)와 같은 철학자들이 모두 이 '실존'에 대하여 탐구하였다.

---

2. 교과서 속에서 만난 하이데거

1) 어떤 사람이 될 것인가?

공자의 말씀 중에 "15세에 배움에 뜻을 두었다(志于學)"라는 말이 있다. 여기서 '뜻을 둔다'는 것은 무엇을 의미하는가? 어떻게 15세라는 나이에 인생의 뜻을 세울 수 있단 말인가?

여기서 '뜻을 둔다'는 말은 크게 두 가지 의미로 해석할 수 있다. 첫째는,

자기가 어떤 인간이 되어야 하겠다는 꿈과 이상을 가진다는 것이다. 둘째는, 자신이 간직한 꿈을 달성하기 위하여 좀 더 구체적으로 자기 인생을 어떻게 살 것인가를 미리 생각해둔다는 것이다. 직업, 이루고 싶은 일, 목표 등에 대해서 청소년기에 뜻을 세운다는 것이다. (……)

청소년기에 큰 꿈과 이상을 가진다는 것은, 그렇지 않은 사람에 비하여 더 원대하고 훌륭한 삶을 살 수 있는 가능성이 많은 것이다. 그런데 모두가 큰 꿈을 가지는 것만이 중요한 일일까?

여기서는 꿈이 참다운 목표를 향한 것인가를 생각하는 것이 무엇보다 중요하다. 사람은 더 가치 있고 의미 있는 목표가 있어야 자신의 숨은 능력을 발휘할 수 있다. 또, 그러한 목표가 분명히 설정되어 있어야 어려움도 인내할 수 있고 절제할 수 있는 것이다.

일찍이 율곡 이이 선생은, 우리가 큰 뜻을 세우되 무엇보다 도달해야 할 목표를 최고의 도덕적 인격 완성에 두고 있어야 할 뿐만 아니라, 그것을 달성하기 위한 굳은 결심을 강조하였다. (……)

청소년기에 정확한 지식, 올바른 가치에 바탕을 두어 큰 뜻을 세우고, 그것을 실천하는 일은 매우 중요하다. 이 시기에 바르고 큰 뜻을 세워 실천하지 않으면 방향성을 잃고, '바람 부는 대로, 물결치는 대로 끌려 다니는' 인생이 되기 쉽기 때문이다.

— 중학교 《도덕 1》 중에서

중학교 《도덕 1》 교과서에서는 청소년기에 인생의 바른 뜻을 세우는 것이 중요하다고 설명하고 있다. 그러기 위해서는 자신이 어떤 인간이 되어야 하겠다는 것과 자신의 꿈을 달성하기 위한 구체적인 인생의 계획을 세우는 것이 중요하다. 만일 자신이 어떤 사람인지 알지 못하고, 어떻게 삶을 살아갈지에 대한 계획을 세우지 않은 채, '바람 부는 대로, 물결치는 대로 끌려 다니는' 삶을 살아서는 안 되는 것이다.

　왜 인간은 자신에 대하여 생각을 해야 하고, 자신의 삶에 대하여 생각하고 계획해야 하는가? 하이데거는 인간이 다른 존재와는 다른 '현존재'이기 때문이라고 보았다. 현존재란, 존재하는 것에서 그치지 않고, 스스로의 존재에 대하여 질문하고 답을 찾는 존재이다. 인간을 제외한 모든 존재들은 이러한 질문을 하지 못하고 당연히 답을 찾을 수도 없다. 그런데 많은 경우, 인간은 스스로가 누구이며, 어떤 사람인지에 대한 질문을 하지 않고 살아가기 쉽다. 또한 자신의 삶이 어떻게 진행되는지 관심을 가지지 않은 채 그저 일상을 살아가기도 한다. 하이데거는 이러한 삶을 '비본래적 삶'이라고 비판하면서, 자신의 삶을 주체적으로 살아가기를 요구한다. 교과서에서 나온 것처럼 자신의 삶을 제대로 살기 위해서는 자신이 어떤 인간인지와 어떤 인간이 되어야 하는지를 질문해야 한다는 것이다. 당연히 자신의 삶의 목표에 대해서도 끊임없이 질문하고 답을 찾아가야 한다. 교과서에서는 청소년기에 이러한 질문과 답을 찾아가는 과정이 중요하다고 설명하고 있지만, 사실 이러한 과정은 청소년기뿐만 아니라 인간이 일생을 살아가면서 잃어버리지 않고 항상 가지고 있어야 하는 삶의 자세이다.

2) 인간다운 삶이란?

> 인간다운 삶이란, 정신적인 것을 중요하게 여기면서 그것을 얻고자 노력하는 삶이다. 물질적인 것만이 아니라 정신적인 것을 얻고자 노력할 때, 사람으로서의 진정한 아름다움을 느낄 수 있기 때문이다.
>
> 물론, 물질이 있어야 더욱 편하고 풍요로운 생활을 할 수 있다. 그러나 물질적으로 풍요해야 한다는 것은 인간다운 삶을 살기 위한 한 부분이고 조건일 뿐이다. 영국의 사상가 밀(J.S. Mill, 1806~1873)은 "배부른 돼지가 되기보다는 배고픈 인간이 되는 것이 바람직하다"라고 했다. 이것은 인간의 삶에 있어서 물질적인 것보다 정신적인 것이 더욱 중요하며, 정신적인 것을 얻으려고 할 때 인간의 삶이 더욱 아름답다는 것을 강조한 것이다.
>
> ― 중학교 《도덕 1》 중에서

인간은 항상 반성하는 삶을 통해 자신을 성찰함으로써 훌륭한 인격을 형성하고 인간다운 삶을 살 수 있게 된다. 사람으로서의 품격, 즉 인격은 하루아침에 갑자기 형성되는 것이 아니라, 평소에 꾸준히 마음을 닦고 행실을 바르게 해야 비로소 갖추어지게 된다. 위인이나 역사적인 인물들은 꾸준히 자신을 돌이켜보고 반성하는 생활을 통해 인품을 갈고 닦은 사람들이었다. 물론, 우리 모두가 그런 사람들처럼 존경을 받으며 살기는 어려울 것이지만, 그러한 삶을 본받고 추구하려는 자세를 가지는 것만으로도 그 의의는 크다. 왜냐하면 인간은 원래 미래를 지향하며 '되어 가고 있는 존재'이고, 그런 자세를 가지고 부단히 나아가야만 삶의 방향을 잃지 않고 가치 있는 생활을 할 수 있기 때문이다.　　　　　　　　　　　　　　— 중학교 《도덕 3》 중에서

중학교 《도덕 3》 교과서에서는 인간다운 삶에 대하여 설명하고 있다. 인간다운 삶이란 정신적인 것을 얻고자 노력하는 것이고, 자신의 삶을 반성하면서 성찰해 나가는 것이다.

하이데거 역시 인간의 정신을 중요하게 생각했다. 존재하는 모든 것들 중에서 오직 인간만이 자기 자신과 자신을 둘러싼 세계와의 관계를 생각할 수 있는 존재이기 때문이다. 생각한다는 것은 물질적인 것이 아니라 정신적인 것이며, 이러한 과정 속에서 자신의 삶을 반성하면서 성찰하는 것이다. 이 과정을 통해서 인간은 비로소 '되어 가고 있는 존재'가 된다. 만일, 이렇게 스스로 존재에 대한 질문이나 그 답을 찾기 위한 과정을 잃어버린다면, 인간은 사물이나 동물과 같은 그냥 존재하는 것에 지나지 않게 된다.

그런데 나 자신에 대한 질문을 하면서 삶의 방향을 잃지 않고 가치 있는

삶을 살아가는 것은 어떻게 가능할까? 물질적인 것에만 몰두하는 삶만을 추구할 경우 우리는 존재의 의미를 잃어버리게 된다. 물질적인 삶을 좇아 바쁜 일상을 살다보면, 내가 누구인지, 내가 무엇을 하고 있는지에 대한 정신적인 질문을 잃어버리기 쉽다. 매일같이 학교에 나가서 공부를 하면서 자신이 왜 공부를 하는지 질문하지 않고 좋은 점수만을 바라는 삶이나 직장에 나가 돈을 벌기 위해 열심히 일하지만 왜 돈을 버는지에 대한 질문을 하지 않는 삶은 모두 정신적인 질문과 답을 찾아가는 과정을 잃어버린 삶이기 때문이다. 그래서 내가 왜 공부를 하는지, 내가 왜 일을 하는지에 대한 답을 스스로 질문하고 답을 찾아가는 것은 가장 근본적인 삶의 과정이다. 하이데거는 '현존재' 인 인간은 이러한 질문을 끊임없이 하면서 주체적인 '실존' 의 삶, '본래적인 삶' 을 살아가야 한다고 보았다. 가장 근본적인 삶의 과정을 잃어버리지 않고, 인간답게 살아가는 것이 중요하다고 본 것이다.

세계-내-존재(In-derwelt-sein)
하이데거는 '나' 라고 하는 인간은 세계와 별개로 존재하는 것이 아니라 늘 세계 속에 속해 있는 존재라고 본다. 그렇기 때문에 세상의 모든 것이 고정되어 있는데 나만 움직일 수 있다든지, 모든 것이 눈에 보이고 오직 나만 보이지 않는다는 것은 원칙적으로 불가능하다. 예를 들어, 시간을 멈추고 나만 움직인다든지 투명인간과 같이 나만 보이지 않는다는 것은 공상 과학에서나 가능한 일인 것이다. 하이데거가 '세계내존재' 라고 하지 않고, 굳이 하이픈(-)을 붙인 것은 주체인 나와 세계나 뗄 수 없이 연결되어 있다는 것을 강조하여 나타내기 위한 것이다. 세계 속에 존재하는 한 인간은 객체이면서, 세계를 마주 대하고 있기 때문에 인간은 주체이다. 즉, 인간은 세계와의 관계에 있어 주체이면서 동시에 객체이다. 세계의 일부이면서 동시에 세계의 주인이기도 한 존재 방식을 하이데거는 현존재의 이중적 존재 방식이라고 말한다.

3. 기출 문제 속에서 만난 하이데거

하이데거의 철학은 대학 논술 시험에서 자주 출제되는 주제 중의 하나이다. 2004년 연세대 정시 논술과 2005년 서강대 정시 논술에서는 직접 하이데거의 글이 출제된 바 있다. 연세대와 서강대의 모두 하이데거의 대표적 저서인《존재와 시간》중의 한 부분이 발췌하여 출제되었다. 모든 철학 서적의 표현들이 그러하지만, 하이데거의 글 역시 쉽게 독해되거나 이해할 수 있는 내용은 아니다. 하지만 하이데거가 주장한 '현존재', '실존', '본래적인 삶'과 같은 의미들을 이해한다면, 그의 글 역시 어렵지 않게 이해할 수 있다.

현대 사회를 흔히 '정보사회'라고 부른다. 정보사회 속에서는 정보가 아주 빠르게 상품화되기도 하고, 과잉되어 전달되고 있다. 특히 의미 없거나 물질적인 '말'들이 넘쳐나고 있다. 하이데거는《존재와 시간》을 통해 '침묵'을 통한 '성찰'의 의미를 찾고 있다. 정보사회 속에서 넘쳐 나는 감정과 말의 홍수 속에서 침묵은 오히려 더 깊은 성찰을 우리에게 가져다줄 수 있다. 말을 많이 하는 것보다는 오히려 침묵하는 것이 더 근본적으로 '이해'를 형성할 수 있다고 하이데거는 주장한다. 어떤 것에 대하여 말을 많이 한다고 해서, 혹은 정보를 더 많이 알고 있다고 해서 이해가 깊어지거나 완벽해지는 것은 아니라고 보았다. 반대로 장황하게 말을 많이 하는 것은 올바른 이해를 숨기거나 거짓되게 만들 수도 있는 것이다. 예를 들어, 친구와 다투고 난 뒤 화해를 할 때, 넘치는 말들은 오히려 자신에 대한 변명이 되거나 상대에 대한 비난이 될 수도 있다. 차라리 아무런 말도 하지 않은 채 서로를 이해할 때 더 깊은 화해가 가능할 수도 있는 것이다.

한편, 현대 사회와 같은 익명성의 대중사회에서 발생하는 문제를 비판적으로 바라보는 데에도 역시 하이데거의 철학이 의미를 가진다. 대중사회에서는 내가 주체로 살아가기보다는 남들에 의해 살아가는 것이 편하기도 하고 안전하기도 하다. 자신의 의지대로 살아가다 보면, '혼자서 튄다'는 지적을 받기도 하기 때문이다. 하지만 하이데거는 '현존재'의 주체적인 '실존'의 삶이 무엇보다 중요하다고 주장한다. 만일 타인들에 의해서 살아가다보면, 스스로가 가진 고유하고 본질적인 의미를 잃어버리기 때문이다. 그렇게 되면 자신뿐만 아니라 자신이 속한 세상에 대해서도 아무런 책임을 지지 않는 무책임한 삶을 살아갈 수밖에 없다. 《존재와

말(언어)과 침묵

하이데거는 인간의 '언어는 존재의 집'이라고 말했다. 인간이 판단할 수 있는 세계는 결국 언어에 의해서 정해진다는 뜻이다. 이 '말'을 통해 타인과 의사소통을 하게 되는데, 의사소통은 타인과 더불어 있다는 것을 확실하게 알게 해주는 것이다. 그런데 이 의사소통은 단순히 정보교환의 의미가 아니라, 더 광범위하게 서로를 이해하는 것을 말한다. 그렇기 때문에 하이데거는 입을 통해서 나오는 말뿐 아니라 '침묵' 또한 말과 다를 바 없다고 보았다. 침묵은 벙어리로 있는 것이 아니라, 불필요한 것들을 말하지 않으면서 오히려 더 깊은 이해를 가능하게 하는 '말'의 또 다른 형태이다.

시간》에서 하이데거는 다음과 같이 이러한 비주체적인 삶을 비판한다.

"우리는 '그들'이 즐기는 것처럼 즐기면 좋아한다. 우리는 '그들'이 보고 판단하는 것처럼 읽고 보며 문학과 예술에 대해서 판단한다. 그런가 하면 우리는 또한 '그들'이 그렇게 하듯이 '군중'으로부터 물러서기도 한다. '그들'이 격분하는 것에 우리도 '격분'한다. '그들'은 어떤 특정한 사람들이 아니고, 모두인데, 이 '그들'이 일상성의 존재양식을 지정해 주고 있다."

자신이 무엇을 하는지 고민하지 않고, 남들이 하는 대로 살아가는 삶과 존재는 무의미하다. 인간이 다른 존재와 달리 '현존재'라고 불리는 것은 자신에 대하여 스스로 질문하고 결정하는 '실존'적 존재이기 때문이다. 현대 대중사회의 익명성은 이러한 우리의 주체적인 삶을 망각하면서 살아가기를 강요하는 부정적인 모습을 가지고 있다.

논술 문제

다음 제시문 〈가〉와 〈나〉에서 나타나는 차이점을 밝히고, 어떤 것이 더 올바른지에 대한 자신의 생각을 논술하시오. (600자 내외)

가 치르치르 : 그래. 생각해 보면 연약한 인간에 비하여 태양이나 달은 온 세상을 환히 비추지만 자신이 왜 거기에 존재하는지 그 존재이유를 생각해 보지는 않잖아. 하지만 인간은 자기 자신을 되돌아보고 자신이 왜 사는지 삶의 의미가 어디 있는지 고민하는 존재지. 바로 이처럼 자기 자신에 대해 문제의식을 갖고 살아가는 인간의 존재방식을 실존이라고 하는 것이지.

미치르 : 그럼 인간은 다 실존적으로 살아가고 있는 거야?

치르치르 : 그렇지는 않은 것 같아. 실존은 스스로 생각하고 스스로 결정할 수 있는 존재라고 했지? 하지만 인간이라고 해서 모두 실존의 방식으로 살아가는 걸까? 미치르 너도 어제 저녁만 해도 다른 애들이 하는 것을 다 따라 하고 싶어 했잖아. 그게 실존적인 방식이라고 할 수는 없는 거잖아?

미치르 : (한숨을 쉬며) 그건 그래.

치르치르 : 미치르, 너무 걱정 마. 앞으로라도 실존적인 생활을 하면 되니까. 그 책에는 실존적인 생활을 하기 위해서 어떻게 하라고 나와 있니?

미치르 : 여기에는 이렇게 나와 있어. '실존적인 생활을 하기 위해서는 자신이 누구이고 무엇을 원하는지 알고 있어야 한대. 그런데 그건 쉬운 일이 아니래. 돈 벌기 위해 직장을 나가는 것도 바쁜데 그런 고상한 생각을 할 겨를이 있겠어요? 생활의 여유도 없이 살아가는 대부분의 사람들이 이러한 처지랍니다. 실존적인

인간이 되기 위해서는 무엇보다도 마음의 여유를 갖고 자신의 일이나 행동에 대해 반성하고 비판하고 생각하는 태도가 필요해요.' 라고 말이야.

— 《하이데거가 들려주는 존재 이야기》 중에서

🐴 아버지와 아들이 당나귀를 몰고 가는데 지나가던 어떤 사람이 말했습니다.

"이 더위에 어린 아들을 당나귀에 태우고 가지 걸려서 가느냐?"

그 말을 들은 아버지는 아들을 당나귀에 태우고 자신은 걸어갔습니다. 한참을 가는데 지나가던 또 한 사람이 혀를 끌끌 차며 이렇게 말했습니다.

"요즘 세상은 문제야. 아버지는 걸어가고 아들놈은 타고 가네그려."

이 말을 들은 아버지는 "아들이 아직 어려서 그렇습니다"라고 말했다. 그 말을 들은 사람이 이렇게 알려주었습니다.

"그럼 차라리 둘이 같이 타고 가구려."

이 말을 듣고, 아버지도 아들과 함께 당나귀를 타고 갔습니다. 그렇게 가고 있는데 또 지나가던 어떤 사람이 이 광경을 보고 이렇게 말했습니다.

"아니, 말 못하는 짐승이라고 이 더위에 두 사람씩이나 타고가? 차라리 둘이서 당나귀를 메고 가는 게 낫지."

그 말을 들은 아버지와 아들은 당나귀에서 내려 한참을 궁리한 끝에, 당나귀의 네 다리를 긴 장대에 묶어서 땀을 뻘뻘 흘리며 메고 갔습니다.

— 이솝, 《이솝우화》 중에서

생각 쓰기

case 2 제시문 〈가〉에 나오는 내용을 바탕으로 하여 제시문 〈나〉에 나오는 여대생이 살아가는 방식이 어떤 문제를 가지고 있는지를 찾고, 이러한 문제를 해결할 수 있는 방법을 논술하시오. (600자 내외)

가 "그래. 정신이나 마음은 눈에 보이지는 않지만 확실히 존재하고 있잖아. 그렇지 않다면 우리가 어떻게 생각하고 행동할 수 있겠어, 안 그래?"

"그렇긴 하지."

"아빠가 하이데거의 존재에 대해서 말씀해주시면서 이런 얘기를 해 주셨어. 돈이나 먹을 것 못지않게 정신도 중요하다고 말이야."

"하긴 그렇긴 하지. 정신이 올바르지 않으면 몸도 건강할 수 없다고 우리 할아버지도 만날 그러시는 걸?"

"그래, 눈에 보이는 우리 몸도 중요하지만 우리 정신도 밥을 먹어야 한대."

"정신도 밥을 먹어야 한다고? 그것 참 재밌는 말이다? 정신도 햄버거나 코코아같은 걸 먹는다는 말이야?"

"바보야 그게 아니잖아. 어떻게 정신이 햄버거를 먹을 수 있겠니? 정신은 햄버거나 콜라를 마시는 대신 다른 걸로 키울 수 있어."

"어떤 걸로?"

"예를 들면 좋은 음악을 듣는다거나, 좋은 책을 읽는다거나 하는 거지. 그럼 정신이 맑아지고 건강해진다는 것 정도는 너희들도 알지?"

"그럼!"

"근데 우리는 정신 건강에 조금이라도 힘쓰고 있는 걸까? 나는 우리 아빠가 정신 건강을 중요하게 여기기 때문에 책도 많이 읽고 좋은 그림도 감상하지만, 현이 넌 어때? 넌 게임만 하느라 그런 거 안 하지?"

"흠흠. 사실 정신건강을 많이 돌보지 못했다는 건 인정해. 그런데 존재와 정신건강이 무슨 관계가 있다는 거야?"

— 《하이데거가 들려주는 존재 이야기》 중에서

나   아침에 일어나 유명 여배우가 광고하는 샴푸로 머리를 감는다. 연예인이 된 기분이다. 화장은 진하지 않고 자연스럽게 한다. 최신 유행 원피스에 명품 토드백을 들고 전공서적 한 권을 겨드랑이에 끼고 집을 나선다. 큰 가방은 여대생답지 않다. 버스를 기다리며 자가용을 몰고 다니던 옛 남자친구를 그리워한다. 학교 앞에서 유명 상표의 커피와 도넛을 사먹으며 창밖을 바라본다. 마치 뉴요커라도 된 듯하다. 복학생 선배를 꼬여 패밀리 레스토랑에서 점심을 먹는다. 시간이 남아 백화점 명품관에서 아이쇼핑을 한다. 친구들과 결혼 상대에 대해 이야기를 나눈다. 3천 cc 이상 차를 몰고 키 크고 옷 잘 입는 의사면 충분하다.

— 《한겨레21》 621호, 〈된장녀의 하루〉 기사 중에서

생각 쓰기

생각 쓰기

case 3 제시문 〈가〉의 내용을 바탕으로 하여 제시문 〈나〉에 나타나는 현대 사회의 문제를 지적해라. 그리고 이러한 문제를 해결할 수 있는 방법에 대하여 자신의 생각을 논술하시오. (600자 내외)

가 미치르 : 그러니까 현존재는 세계와 독립해서 존재할 수는 없다고 말한 거지?

치르치르 : 그러니까 파랑새도 마찬가지로 세계 속에 있다는 거지.

미치르 : 그러니까 현존재가 세계 속에 있다는 것은 무슨 뜻이야? 좀 자세히 설명해 봐.

치르치르 : 현존재가 세계 속에 있다는 것은 말이야. 세계 속에 있는 어떤 것을 만들든가, 사용하든가, 정리하든가, 관찰하든가, 토론하는 방식으로 세계와 관계를 맺고 있다는 뜻이야. 현존재는 그런 관계를 맺으면서 세계 속에서 생활하고 있어.

하이데거는 현존재와 세계와 맺는 관계를 '관심을 가진다' 라고 표현하고 있대. 그런데 현존재가 세계 속에서 만나는 것은 그냥 사물이 아니라 도구야. 시냇가의 돌멩이를 생각해 봐. 일상생활과 관계가 없을 때에는 우리와 상관없는 그냥 돌멩이야. 그런데 우리가 물수제비를 뜬다던가, 아무튼 우리가 어떤 목적을 위해서 그것을 사용했을 때는 도구가 되는 것이지."

미치르 : 그러면, 오빠 말은 세계 속에 현존재인 인간이 있고, 도구가 존재한다는 말이네?

치르치르 : 그렇지. 그런데 세계 속에는 도구뿐만 아니라 다른 현존재도 존재하고

있어. 바로 내가 아닌 다른 사람들. 우리는 언제나 이 다른 사람들에 대해 관심을 가지고 하나의 공동세계를 이루면서 살아가잖아. 그런데 우리가 만나는 사람들은 자신의 존재의미를 이해하려는 노력보다 일상적인 일에 더 관심을 두는 사람들이지. 물론 우리도 마찬가지였고 말이야.

—《하이데거가 들려주는 존재 이야기》중에서

나 지난 겨울엔

방죽 위에서 취객(醉客) 하나가 얼어 죽었다.

바로 곁을 지난 삼륜차는 그것이

쓰레기 더미인 줄 알았다고 했다. 그러나 그것은 개인적인 불행일 뿐, 안개의 탓은 아니다.

—기형도, 〈안개〉 중에서

생각 쓰기

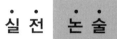

실 전 논 술

예시 답안

제시문 〈가〉에서는 태양이나 달과는 달리 인간을 스스로 자신이 왜 존재하고 있는지를 묻는 실존적 존재라고 말하고 있다. 인간이 사물과는 달리 실존적 존재로 살아가기 위해서는 스스로의 삶의 의미를 고민하는 과정이 필요하다. 다른 사람들을 무조건 따라하거나 자신의 삶에 대하여 관심이 없이 살아가는 것은 사물과 다를 바 없다. 그런데 〈나〉에 나오는 아버지와 아들은 실존적 존재로서의 삶을 살지 못한다. 당나귀를 타고 가면서 스스로 어떻게 갈 것인지를 고민하지 않고, 그저 지나가는 다른 사람들의 말에 따라 행동한다. 결국, 주체적이지 않은 이러한 행동은 불행한 결과만 가져오게 된다.

우리는 내가 누구인지, 나의 행동이 어떤 의미를 가지는지를 반성하고 비판하는 삶의 태도를 가져야 한다. 인간이 정말로 인간답게 살기 위해서는 반드시 필요하기 때문이다. 만일, 그렇지 못하다면, 인간이 〈나〉에 나오는 당나귀처럼 아무런 생각 없이 살아가는 의미 없는 존재일 뿐이기 때문이다.

제시문 〈가〉에서는 인간에게는 눈에 보이지는 않지만, 정신과 마음을 가지고 있는 존재라고 한다. 정신과 마음은 우리를 편안하게 해 주는 물질만큼 인간이 살아가는 데 중요한 부분이다. 인간이 인간답게 살아가기 위해서는 물질을 추구하는 만큼 정신과 마음도 풍요롭게 다져나가야 한다. 그런데 제시문 〈나〉에 나오는 여대생의 삶은 정신과 마음을 아름답게 만들어 가지 못하고 있다. 온종일 여대생이 신경을 쓰는 것은 오로지 자신의 겉모습뿐이며, 자신과 다른 사람을 평가하는 데 중요한 것은 물질적인 잣대이다. 정신과 마음을 잃어버린 삶은 황폐하고, 그러한 삶은 인간이 스스로 인간임을 포기하는 것과 마찬가지이다. 외적인 것, 물질적인 것에만 집중하는 삶 대신 정신과 마음을 아름답게 만들어 가는 삶을 살아가야만 한다.

case 3 파랑새에 나오는 남매의 대화를 보면, 인간은 세상 속에서 떨어져 나와 홀로 살아갈 수 없는 존재이다. 세상 속에서 살아간다는 것은 곧 다른 사람들과 함께 살아가는 것을 말한다. 그런데 현대 사회에서 사람들은 인간이라는 존재에 대하여 관심이 없다. 왜 자신이 바쁘게 살아가는지 질문도 하지 않고, 자신을 비롯한 다른 사람의 존재에 관심이 없다. 세상 속에서 살아가지만, 홀로 외롭게 살아가는 것과 마찬가지인 셈이다. 이러한 현대 사회의 문제는 〈나〉에 잘 나타나 있다. 겨울에 길가에 죽은 사람에 대하여 아무도 관심을 가지지 않는다. 현대 사회에서 홀로 살아가는 인간의 모습을 비유적으로 보여주고 있다.

존재에 대한 무관심은 곧 존재의 의미가 사라지는 것을 말한다. 자신이나 타인에 대한 관심이 없는 현대 사회는 존재의 의미를 잃어버린 무의미한 공간일 뿐이다. 이러한 문제를 해결하기 위해서 우리는 자기 자신을 비롯한 타인이라는 존재에 대하여 관심을 갖고, 함께 사랑을 나누면서 살아가야만 한다.

발터 벤야민이 들려주는 복제 이야기

저자_이지영

연세대학교 사회학과를 졸업하고, 연세대학교 대학원에서 사회학 석사 학위를 받았다. 이후 서울 주요 논술학원에서 인문계 논술강사로 활동하고 있으며, 〈박학천 아작 정시 논술〉, 〈박학천 아작 수시 논술〉, 〈한솔 M 플라톤 논술〉시리즈 등 다수의 논술 교재를 집필했다.

Walter Benjamin

발터 벤야민과
'복제'

발터 벤야민 주요 개념

1. 발터 벤야민을 만나다

1) 발터 벤야민은 누구인가 ― 시대와 생애

발터 벤야민(Walter Benjamin, 1892~1940)은 19세기 말 독일에서 태어난 유태인 철학자이자 문학평론가이다. 부유한 유태인 가정에서 태어나 프라이부르크, 뮌헨, 베른 등에서 철학을 공부했다. 그가 살았던 당시 독일에서는 히틀러의 나치당이 정권을 잡으면서 유태인에 대한 학대가 시작되었다. 이를 피해 그는 프랑스 파리로 건너갔는데, 당시 파리는 유럽의 시대 변화를 가장 잘 보여주는 곳이었다. 벤야민은 대학교수가 되기 위해 노력했으나 실패한 후, 주류에서 벗어나 아웃사이더 지식인이자 프리랜서 문화비평가로 활동했다. 미국으로 가서 활동하려던 것이 실패한 후, 스페인에서 자살로 생을 마감하였다.

벤야민이 살았던 당시 유럽은 사회의 모든 분야에서 빠른 변화가 이루어지고 있었다. 먼저 정치적으로 나치즘과 파시즘을 중심으로 한 독재 체제가 전쟁을 일으키고, 많은 사람들이 이 전쟁에 참여하고 열광하고 있었다.

반면, 다른 한쪽에서는 마르크스 이론을 중심으로 혁명의 기운이 넘치고 있었다. 한편 사회·경제적으로는 대량생산 체제가 활발하게 꽃피우고 있었다. 이전과는 달리 동일한 성능의 상품들이 똑같은 형태로 대량으로 공장에서 만들어질 수 있었다.

이러한 변화 속에서 벤야민은 정치적으로는 마르크스 이론에 관심을 가지고 있었다. 공산주의가 나치즘과 파시즘에 의해 몰락해 가는 유럽을 구원할 수 있으리라는 믿음을 가지고 있었다. 또한 자본주의 체제가 만들어 놓은 수많은 사회 문제들 역시 해소될 것으로 보았다. 동시에 그는 대량생산 체제의 복제기술이 발달하게 되면서, 이것이 공장의 상품뿐만 아니라 예술의 의미와 형태 또한 변화하게 한다는 것을 알게 되었다. 상점에서 살 수 있는 상품을 대량으로 생산할 수 있는 대량생산 체제의 복제기술로 예술 또한 대량으로 복제할 수 있게 된 것이다. 대량복제시대 이전의 예술은 복제가 불가능한 유일하고, 한 번뿐인 신비한 것이었다. 즉, 예전에는 어느 화가의 훌륭한 그림을 보기 위해서는 직접 그 그림이 있는 장소로 가서 두 눈으로 봐야만 했고, 심금을 울리는 노래를 듣기 위해서는 직접 그 노래를 부르는 가수를 찾아가 들어야만 했다. 하지만, 벤야민이 살았던 시대부터는 그림도, 노래도 모두 대량으로 복제가 가능하게 된 것이다. 공장의 상품처럼 그림 또한 원본과 똑같이 찍어낼 수 있었고, 라디오를 통해서 한 가수의 똑같은 노래를 동시에 여러 곳에서 들을 수 있게 된 것이다. 당시 라디오, 사진, 영화 등은 예술 작품을 복제할 수 있게 만드는 기술이었고, 하루가 다르게 발전하고 있었다. 이렇게 모든 것이 복제 가능하게 된 현대 사회의 변화를 감지하고, 이를 단순히 예술작품 뿐만 아니라 사회의 모든 영역까지 확장하여 분석하고 비판한 사람이 바로 발터 벤야민이다.

나치즘(Nazism, 독 nationalsozialismus)
19세기 말, 독일의 히틀러에 의해 창설된 '국가사회주의 독일노동자당'의 이념을 일컫는 말이다. 반(反)유대주의, 백색인종 지상주의, 국가주의, 제국주의 및 반(反)사회주의, 반(反)민주주의 사상을 기초로 하여 탄생했다. 독일민족지상주의를 주장하면서, 국가주의 · 민족주의 · 비합리주의 · 폭력성 · 인종차별 등의 특징을 가지고 있다. 1933년 히틀러가 총리로 취임하면서 나치즘을 기반으로 한 나치 정권이 수립되었고, 2차 세계대전을 일으키게 된다.

파시즘(Fascism)
1919년 이탈리아의 무솔리니가 주장하고 조직한 것으로 국수주의 · 권위주의 · 반공산주의적인 정치적 이념과 운동을 이르는 말이다. 나치즘과 마찬가지로 국가나 민족의 이익을 중시하고, 개인의 자유를 억압하는 전체주의적인 성격을 가지고 있다. 파시즘을 기반으로 한 이탈리아 역시 독일과 함께 2차 세계대전의 원인이 되었다.

마르크시즘(마르크스주의, Marxism)
19세기 말, 칼 마르크스(Karl Marx)가 엥겔스(Engels)의 협력으로 만들어 낸 사상과 이론의 체계를 말한다. 마르크스는 자연과 사회 안에 있는 모든 것은 끊임없이 운동하고 변화한다는 변증법(辨證法)적 견해를 인간 사회에 적용하였다. 또한 인간 사회의 역사적 발전은 정신적인 것이 아니라 물질적인 것을 기초로 한다는 '유물사관(唯物史觀)'을 내세웠다. 이들을 토대로, 도덕적 감정이 아니라 경제학을 통해서 자본주의 체제의 필연적 붕괴를 주장하였다. 자본주의의 생산력(인간과 자연의 관계), 생산관계(인간과 인간의 관계)가 가지는 모순을 비판하였고, 이러한 모순은 프롤레타리아 혁명을 통하여 극복되며 자본주의 이후 공산주의 사회로 나아가야 한다고 주장하였다. 이러한 마르크시즘은 당시 자본주의가 발전하면서 여러 가지 심각한 사회문제를 안고 있던 유럽 사회에 널리 퍼지게 되었고, 많은 지식인들이 영향을 받았다. 또한 마르크시즘은 특히 당시 낙후한 농업 국가였던 러시아와 중국 등에 영향을 미쳐 이들 국가가 사회주의 국가로 탄생하는데 결정적인 역할을 하였다.

2) 모든 것이 복제 가능한《기술복제시대의 예술작품》

벤야민은 복제기술로 탄생된 예술을 '아우라가 없는 예술'이라고 정의하였고, 이를 대표작인《기술복제시대의 예술작품》에서 비판하였다. '아우라(Aura)'란 말은 본래 그리스 신화 속에 등장하는 여성의 이름으로, 산들바람처럼 너무 빨라 아무도 뒤쫓아 갈 수 없는 사람이었다. 벤야민은 이 말을 '복제가 불가능한, 유일하고도 한 번 뿐인 현상'이라는 뜻으로 사용했다. 과학 기술이 발달하여 복제 기술이 대량으로 예술작품의 원본을 복제한다 하더라도, 원본이 가지는 아무도 흉내 낼 수 없는 고고한 분위기인 '아우라'는 복제할 수 없다고 보았다. 수많은 모나리자 그림이 수많은 곳에 있어도, 레오나르도 다빈치가 그린 모나리자의 아우라는 오직 루브르 박물관에 걸린 원본 모나리자에서만 느낄 수 있는 것이다.

벤야민은 모든 것이 복제 가능하게 된 것을 통하여 오늘날을 기술복제시대로 정의한다. 그런데, 기술복제시대의 발달은 긍정적인 역할을 하기도 한다. 원본의 아우라를 느낄 수는 없지만, 대신 더욱 많은 사람들이 예술작품에 다가갈 수 있게 만들었다. 이전 시대에 예술은 귀족과 같은 특권 계층만이 향유할 수 있는 고급한 것이었다면, 기술복제시대의 예술은 대중들이 쉽게 접할 수 있는 것이 되었다. 바흐(Bach)가 작곡한 음악을 예전에는 궁정의 왕족이나 귀족들만 들을 수 있었지만, 녹음기술을 통한 오케스트라의 바흐 연주를 이제는 누구나 들을 수 있게 된 것이다. 대중문화는 바로 이

기술복제체제가 가져다 준 이름인 것이다.

이제 예술을 포함한 문화는 특권적이고 배타적인 것에서 벗어나 누구나 쉽게 접할 수 있는 것이 되었지만, 벤야민은 이것이 전부가 아니라고 보았다. 오히려 복제기술이 가져올 수 있는 잘못된 허상에 대해서 비판한 것이다. 가짜 아우라를 가지면서도 사람들에게 '보여지는 가치(전시적 가치)'로 포장된 상품을 사람들이 진짜라고 잘못 알기 쉽기 때문이다. 요즘 많은 사람들이 부러워하면서 동시에 꿈꾸는 스타 숭배 현상이 그 한 예이다. 벤야민은 스타 숭배 현상이 기술복제시대의 문제점 중 하나라고 보았는데, 그것은 진짜 아우라가 아닌 가짜 아우라로 포장된 하나의 상품일 뿐이기 때문이다. 그러나 사람들은 이것이 가짜라고 생각하지 않고, 진짜로 여기면서 부러워하거나 동경한다는 것이다.

그런데, 이러한 가짜 아우라는 스타 숭배 현상과 같은 대중문화에서만 나타나는 것이 아니라, 더욱 심각하게 사회적이고 정치적인 부분에까지 나타난다. 벤야민은 나치즘이나 파시즘과 같은 전체주의도 비판하였는데, 여기에서도 마찬가지로 가짜 아우라가 나타난다. 히틀러와 같은 독재자가 대중을 선동하기 위해서 가짜 아우라를 진짜인 것 마냥 정치에 이용한 것이다. 벤야민이 살았던 당시, 히틀러와 나치 당원들은 대중을 선동하기 위하여 절도 있는 행위나 잘 짜인 군대의 사열 의식 같은 것들을 보여주었다. 이를 본 독일인들은 마치 그것이 아무도 흉내 낼 수 없는 가치를 지닌 훌륭한 것으로 보았고, 나치즘에 열광하면서 애국심을 높였다. 당시 나치정권이 주장한 '독일 민족 제일주의'나 '인종주의'와 같은 것은 올바르지 못한 것인데도, 이를 멋지고 훌륭한 것으로 잘못 생각하여 이에 열광한 것이다. 그런데 이것이 바로 벤야민이 비판한 가짜 아우라를 이용한 정치 선동인 것이다. 이와 같이 가짜 아우라를 이용하여 대중들을 속이고 선동하는 것은, 오늘날에도 여전히 존재하기 때문에 벤야민의 비판은 여전히 중요한 의미로 남아 있다.

선거 때가 되면, 후보자들은 실천할 수 있는 공약을 내세우는 것이 아니라, 자신의 이미지를 좀 더 멋지고 훌륭하게 만드는 데 힘쓴다. 이것이 잘못된 것을 알면서도, 사람들은 겉으로 드러나는 이미지에 속아서 표를 행사하게 되는 것이다. 벤야민이 비판하고 경계했던 가짜 아우라와 그것에 속아 넘어가는 대중들이 오늘날에도 여전히 살아 있다는 것은 안타까운 일이다. 뿐만 아니라, 벤야민의 기술복제에 대한 비판은 '인간복제'의 문제에서도 여전히 의미가 있다. 만일, 한 인간과 똑같이 복제된

기술복제시대의 예술작품
발터 벤야민의 대표적인 저작으로, 이 글을 통해 사진이나 영화와 같은 기술복제가 가능한 예술이 등장함으로써 창조성, 천재성, 영원한 가치 등과 같은 전통적 예술의 개념들이 제거되었다고 말한다. 이전 시대에는 예술작품이 종교의식과 같은 신비로움 즉, '숭배가치'를 가지고 있었지만, 기술복제시대에는 사람들이 보고 감상하기 위한 '전시가치'를 가지게 되었다는 것이다. 또한 이 세상에 하나밖에 없는 예술 작품 원본의 아우라 즉, '예술 작품이 가지는, 아무도 흉내낼 수 없는 고고한 분위기'는 과학기술이 발전한 시대에서는 파괴되고 사라질 수밖에 없다고 한다.

인간을 공장의 상품처럼 대량으로 만들 수 있다면, 어떻게 될까? 과연 우리는 진짜와 가짜를 구별할 수 있을까? 어쩌면 벤야민이 비판했던 것처럼 우리는 진짜와 가짜를 구별하지 못한 채 혹은 오히려 가짜를 진짜라고 착각하게 되지는 않을까? 이것이 벤야민이 비판했던 기술복제와 가짜 아우라의 위험성에 대해서 알아야 하는 이유이다.

2. 교과서 속에서 만난 벤야민

1) 현대 사회와 시민생활의 변화

과학기술이 발달하고 생활수준이 향상되면서 대량 생산과 대량 소비가 가능해졌다. 이로써 대중은 상품의 소비자로서 중요해졌다. 또, 민주주의와 평등사상이 널리 퍼지면서 대중의 정치 참여 폭이 넓어졌다. 대중은 선거의 유권자로서 중요한 위치를 차지하였다. 이렇게 대중의 역할이 커지면서 대중 사회가 등장하였다. 한편, 신문과 텔레비전과 같은 대중 매체가 발달하면서 대중문화가 형성되었다. 대중 매체는 지배층만이 누리던 고급문화와 다양한 정보를 대중에게 보급하여 많은 사람들이 문화생활을 즐길 수 있게 되었다. 최근에는 상호작용과 쌍방향성을 특징으로 하는 디지털 미디어의 등장으로 대중들의 활발한 의사소통이 가능하게 되었다.

— 중학교 《사회 2》 중에서

중학교 《사회 2》에서는 〈현대 사회와 시민생활의 변화〉라는 단원에서 대중문화에 대하여 설명하고 있다.

19세기 과학기술의 비약적인 발전은 사회의 전 영역에 걸쳐 변화를 가져왔다. 과거 몇몇 장인(匠人)이나 가내 수공업의 방식으로 이루어지던 상품 생산 방식은 과학 기술의 발전에 따라 대량 생산 방식으로 변화하였다. 대량 생산 방식은 대량 소비를 필요로 하게 되었고, 그것을 담당하는 것은 일반 대중들이었다. 상품 소비를 담당하게 된 대중은 정치적으로도 변화를 겪게 되는데, 과거 특권 계층에 의하여 이루어지던 정치는 이제 대중에 의한 정치로 탈바꿈하게 된 것이다.

이러한 변화들 중 벤야민이 지적한 것과 같은 대중문화의 형성이 주목할 만하다. 과거에 문화를 향유할 수 있는 계층은 소수 특권층에 한정되어 있었다. 바흐나 헨델과 같은 유명한 음악가는 궁중의 왕족들을 위해 음악을 만드는 사람들이었고, 레오나르도 다빈치나 미켈란젤로와 같은 이들의 예술작품은 왕족이나 귀족 혹은 교회를 위해 만들어진 것이었다. 이때의 예술작품은 벤야민이 말하는 '아우라'를 가지고 있었고, 예술작품을 감상하기 위해서는 시간과 경제적 여유, 그리고 일정한 수준의 교양을 가지고 있어야만 했다.

19세기에 들어와서 눈부시게 발전한 대량 생산 체제의 복제기술은 특권층에게만 허락된 예술작품을 일반 대중들 또한 향유할 수 있게 만들어 주었다. 예를 들어 사진 기술의 발전은 예술작품의 원본을 '똑같이' 찍어낼 수 있었기 때문에, 바티칸의 시스티나 성당에 가보지 않은 사람도 미켈란젤로의 '천지창조'를 감상할 수 있게 되었다. 시간과 돈을 많이 쓰지 않고서도, 예술작품을 이해할 수 있는 특정 수준의 교양이 없더라도 문화를 향유할 수 있게 된 것은 대량 생산 체제의 복제기술 덕분이다.

대중문화의 발전은 민주주의의 핵심인 '평등'이 신분제의 붕괴와 같은 제도적인 변화뿐만 아니라, 일상적인 영역에서도 실현된 것이다. 뿐만 아니라, 복제 기술이 한층 더 발전한 오늘날에 와서 대중들은 문화를 향유하는 것을 넘어서 스스로 문화를 만들어 내기도 한다. 요즘 유행하는 UCC(User Created Contents)의 경우, 전문가 집단이 아닌 일반 대중들도 다양한 정보들을 공유하기도 하고, 복제하며 증식하면서 스스로 문화를 만들어 내는 것이다. 과거 예술이 종교적이고 미적(美的)인 기능에 집중되어 있었다면, 오늘날엔 누구나 평등하게 즐길 수 있는 것이 되었다.

그러나 벤야민은 이러한 대중문화 속에 숨어 있는 위험성에 대하여 비판하였다. 벤야민은 연극과는 달리 아우라가 파괴된 영화 매체를 비판적으로 평가하였는데, 히틀러와 같은 전체주의자들이 영화 매체를 대중선동을 하는 데 있어 효과적으로 이용하였기 때문이다. 수염을 기른 히틀러가 절도 있는 동작으로 한 손을 치켜 올려 인사를 하는 모습은 벤야민이 살았던 당시 독일인들에게 강렬한 인상을 주었고, 사람들은 이에 열광하였다. 또한 영화 매체는 연극이 가지고 있는 아우라를 파괴하면서 오히려 영화배우나 영화제와 같은 스타 시스템으로 인해 가짜 아우라를 강화하려 하기 때문에 비판하였다. 이때, 벤야민이 비판했던 것은 고전 시대의 예술 작품의 아우라가 파괴된 것 자체가 아니라, 가짜 아우라를 진짜인 것처럼 교묘하게 포장하여 대중들을 속이는 것을 우려하였다.

가짜를 진짜인 것처럼 교묘하게 포장하여 대중들을 속이는 사례 중의 하나로는 오늘날 TV 프로그램이 있다. TV에 나오는 오락프로그램은 종일 직장에서 일을 하다가 지쳐서 돌아온 사람들에게 웃음과 즐거움을 준다. 사람들은 TV 속 연예인들의 농담이나 우스꽝스러운 행동들을 보면서 즐겁게 웃고, 가끔 행복감을 느끼기도 한다. 하지만, 이것은 진정한 행복이 아니라 오히려 거짓된 것일 수 있다. 종일 몸과 정신을 혹사하면서, 삶의 보람이나 목적도 없이 하루하루를 보내는 것은 행복이 아니라 불행이다. 자신이 불행한 일상을 살고 있다는 것을 깨닫지 못하고, TV가 주는 거짓된 웃음에 만족하는 것은 바로 벤야민이 비판했던 위험하고 부정적인 대중문화의 한 부분이다.

2) 유전자 복제 기술 논쟁

우리는 같은 도덕 문제에 관해서도 서로 다른 견해와 입장을 나타낼 때가 많다. 이처럼 도덕 문제에 관한 의견 차이로 발생하는 사람 사이의 도덕적 갈등을 '도덕적 논쟁'이라고 말한다. 우리 사회에서는 이러한 도덕적 논쟁이 공론화되어 많은 토론이 이루어지기도 한다.

한 예로, 다음과 같은 생명 윤리 문제와 관련해서도 도덕적 논쟁이 일어날 수 있다.

국내 연구진이 세계 최초로 인간 배아 복제에 성공하였다. 1998년 세계 최초로 소 복제에 성공한 바 있는 ○○○ 교수는 연구 발표회에서 "36세의 한국인 남성에게서 채취한 체세포를 이용한 복제 실험에서 배아를 배양하는 데에 성공하였다. 인간 배아 복제 연구는 난치병 치료뿐만 아니라 생명 공학 분야에서 선진국보다 앞서 세계적 경쟁력을 갖추기 위해 중요한 분야이다"라고 강조하였다.

그러나 인간 배아 복제 실험 특허 출원 소식이 전해지자, 국내 시민 단체들이 크게 반발하고 나섰다. 여러 시민 단체는 ○ 교수의 인간 체세포 복제 실험과 특허 출원에 대해 공동 성명서를 발표하며, "14일 이전의 인간 배아를 생명체로 볼 것인가 등 다양한 윤리적 문제에 대해 사회적 합의가 제대로 이루어지지 않은 상황에서, 인간 배아 복제 실험을 수행하고, 특허까지 출원한 데 대해 놀라움을 금치 못한다"고 하였다.

현재 과학 기술계에서는 인간 복제 자체는 금지하지만, 인간 배아 복제 기술을 불임 치료, 유전병 치료, 장기 생산 등에 제한적으로는 허용해야 한다는 주장이 우세하다. 반면에, 시민 단체들과 종교인들은 인간 복제 연구 자체를 금지시켜야 한다고 맞서고 있다.

과학 기술부는 ○ 교수의 인간 복제 기술 연구를 계기로 인문 사회학자, 시민 단체, 종교계, 생명 과학자 등 각 분야의 대표성을 갖춘 인사들로 '생명 윤리 자문 위원회'를 설치하여, 인간 복제와 관련된 다양한 의견을 수렴하기로 하였다.

위의 예는 유전자 복제 기술을 인간 복제 기술 연구에 이용해도 좋은가에 대해 사람들이나 단체 간에 서로 다른 의견을 주장하는 도덕적 논쟁이다. 인간 복제 기술 연구를 찬성하는 쪽은 난치병 치료에 도움을 줄 수 있기 때문에 그것이 허용되어야 한다고 주장하고, 반대하는 쪽은 인간의 존엄성을 해칠 수 있기 때문에 허용해서는 안 된다고 주장한다.

— 중학교 《도덕 3》 중에서

중학교 《도덕 3》교과서에서는 오늘날 활발하게 떠오르고 있는 '유전자 복제 기술'을 둘러싼 논쟁을 설명하고 있다. 유전자 복제 기술은 난치병이나 불치병과 같은 인간의 고통을 해결할 수 있는 획기적인 과학기술 중 하나이다. 고통 받는 환자들이나 그들의 가족들에게 이 기술은 절실하게 필요할 것이다. 하지만, 유전자 복제 기술을 통한 인간 복제 기술은 윤리적인 문제들을 안고 있다.

만일 이 기술이 현실로 나타난다면, 어떤 문제들이 발생하게 될까? 단순하게 병을 고치는 것에만 그치는 것이 아니다. '인간이란 무엇인가?'라는 철학적이고 윤리적인 질문에 답을 하기 어려워질 것이다. 나의 유전자를 복제해서 탄생한 또 다른 나는 도대체 누구일까? 복제 기술을 통해서 탄생한 복제 인간을 인간으로 부를 수 있을까? 더 심각한 문제는 누가 진짜 나이고, 누가 가짜 나인지를 구별할 수 있을까? 기술 복제의 위험성을 지적했던 벤야민의 비판은 이러한 인간 복제의 문제에도 여전히 이어질 수 있다. 예술작품의 원본과 그것의 복제품 사이에 무엇이 아우라를 가지는지를 판단하는 것은 인간 복제라는 문제에 견주어서는 너무도 쉽게 결론을 내릴 수 있다. 다빈치의 모나리자는 일반 가정집의 거실에서도, 엽서의 겉면 그림에서도, 심지어 상품의 포장지에서도 쉽게 볼 수 있지만, 그것은 가짜 아우라를 가진 복제품일 뿐이다. 우리가 진짜 아우라를 느끼고 싶다면, 프랑스 루브르 박물관에 직접 가면 된다. 그곳에 가서, 다빈치의 손길이 담긴 붓 터치를 보고, 모나리자의 미소를 느끼면 되는 것이다. 하지만, 진짜 인간과 복제 인간은 어떻게 구별할 수 있을까?《아일랜드》라는 영화를 보면, 복제 인간들이 자신이 복제 인간인 줄 모르고 살아간다. 그러다가, 자신에게 유전자를 준 진짜 인간을 만나게 되면서 혼란을 겪게 된다. 진짜 인간이 자신의 신체를 원한다는 것을 알고 도망 다니다가, 잡히는 순간에 이른다. 그때, 진짜 인간과 복제 인간은 서로 자신이 진짜 인간이라고 주장한다. 복제 인간을 쫓던 사람들은 누가 진짜이고, 누가 가짜인지 구별할 수가 없다. 결국, 진짜 인간을 복제 인간으로 판단해서 죽이고 만다. 이것은 진짜 인간이든, 복제 인간이든 간에 너무나 끔찍한 현실이다. 복제 인간도 나와 똑같은 유전자를 가진 생명체라는 점에서, 이 둘을 구별할 수 있는 확실한 '진짜'의 것이 없다는 것이다. 인간 복제의 문제는 벤야민이 우려했던 문제를 훨씬 더 심각하게 만든다. 가짜를 진짜로 착각하는 오류는 진짜를 찾으면

59

해결될 수 있다. 하지만, 똑같은 유전자를 가지고 똑같은 신체로 탄생한 복제 인간은 진짜와 다르지 않다. 그렇지만, 진짜라고 볼 수도 없다. 진짜도 아니고, 그렇다고 가짜라고 할 수도 없는 것이다. 기술 복제의 발전은 예술 작품만이 아니라 훨씬 더 끔찍한 미래를 우리에게 가져다 줄 수도 있다.

3. 기출 문제에서 만난 발터 벤야민

1) 복제와 짝퉁의 시대를 사는 황량한 인간들

2006년 성균관대 정시 모집 논술에서 제시된 〈'짝퉁 시대'에 생각하는 것들〉이라는 글은 우리가 살고 있는 과학과 기술, 그리고 정보의 시대를 '짝퉁의 시대'라고 규정하면서, 디지털 시대는 원본과 복제본을 아예 구별할 수 없는 시대라고 주장한다. 이 글에서는 발터 벤야민이 《기술복제시대의 예술작품》에서 말한 '비록 가까이 있는 것처럼 보여도 먼 곳에 있는' 유일무이한 '숨결(Aura)'을 설명하면서, 오늘날 디지털 시대를 이러한 아우라가 사라지고 죽은 '흔적'만이 남은 '짝퉁의 시대'라고 비판하고 있다. 진정한 의미는 사라지고 있고, 아무 곳에서나 아무 때나 이루어지는 복제는 '숨결' 대신 '흔적'만을 남긴다는 것이다. 이 짝퉁의 '흔적'은 '숨결(Aura)'과는 달리 '멀리 있는 것처럼 보여도 사실은 가까이 있는 환상적인 모습'이다. 여기에서 말하는 '짝퉁'이란 비단 명품을 복제하여 만든 상품뿐만 아니라, 인간마저 원형과 숨결이 사라지는 황량한 시대인 오늘날을 뜻하는 것이다.

한국이 명품을 복제한 '짝퉁'을 잘 만드는 국가라는 것을 TV 뉴스를 통해 종종 접하게 된다. 이를 통해 우리는 기술 복제 시대에 있는 중요한 문제로 떠오르고 있는 '지적 재산권'의 의미를 상기하게 된다. 명품을 카피한 짝퉁 상품, 음원이나 동영상의 불법 다운로드 등은 원본과 복제본의 구별을 더 이상 의미 없게 만들어버린다. 여기에서 가치 있는 상품의 의미와 창조적인 생산의 노력은 아무런 가치도 갖지 못하게된다. 이것은 단지 상품 생산의 노력에 대하여 경제적으로 돈을 지불해야만 하는 차원뿐만 아니라, 더 심각하고 근본적인 문제를 고민하게만든다. 진짜처럼 보이는 짝퉁들이 진짜보다더 판을 칠 때, 우리가 살고 있는 시대가 진짜가아닌, 진짜의 흔적들만 남아 있을 때 이 시대는가치를 잃고 황량하게 되는 것이다. 이 황량한시대를 살아가는 인간 역시 인간의 정체성을

지적 재산권

지적 재산권은 지적 활동으로 생산되는 결과에 대한 재산권을 의미하며, 상표, 발명 등에 관계된 산업 재산권과 문학, 음악, 미술 작품 등에 관한 저작권으로 분류할 수 있다. 또한 이것은 특허, 상표, 디자인, 저작, 영업 비밀같은 지적인 산물에 대하여 특정인에게 생산 또는사용에 관한 독점적인 권리를 부여하는 것을 말한다. 20세기 중반 이후 제조업 중심의 산업 사회에서 지식 서비스 중심의 정보 사회로의 이행은 지적재산의 생산 및 보호의 필요성을 배가시켰다.

잃어버린 채 황량한 존재일 뿐이다. 진짜가 없는 시대, 거짓과 가짜가 진짜가 되어버리는 시대, 내면의 가치가 아닌 외면만을 그대로 복제하는 시대에서는 인간마저 진정한 의미가 없어져 버리기 때문이다.

실 전 논 술

논술 문제

제시문 〈가〉에서 나오는 '아우라(Aura)'를 제시문 〈나〉에서 찾아 설명하고, 〈가〉와 〈나〉에 공통적으로 나타나는 아우라의 의미를 설명하시오. (600자 내외)

가 이모와 나는 절 앞에서 우리를 기다리고 있는 엄마와 함께 산을 천천히 내려왔습니다.

"정상에 가 본 느낌이 어때?"

엄마가 물었습니다.

"대기 오염이 없어서 그런가, 중턱에서 봤을 때랑은 또 다르던데. 아주 선명해. 옆에 늘어선 산들이 무지 가까이 있는 것처럼 느껴지던걸."

"아우라를 느꼈구나."

"아우라?"

"응. 멀리 있는 것이 가깝게 느껴지는 것을 '아우라(Aura)'라고 해."

내가 갸웃하자 엄마가 설명해 주었습니다.

"독일의 철학자 벤야민이 한 말이야. 원래 아우라는 그리스 신화에서 산들바람을 말해. 산들바람처럼 너무 빨라서 아무도 뒤쫓아 갈 수 없는 여자의 이름이었어. 그걸 벤야민이 다른 의미로 말한 거야. 아우라는 보통 신비스러운 분위기로 생각하면 돼."

"신비스런 분위기라. 묘한 분위기를 말하는 거야? 그런 분위기는 언제 느끼는 건데?"

"아까 이모랑 정상에 올라갔을 때 느꼈을 것 같은데. 오늘처럼 빛, 바람, 그리고 생명의 호흡이 있는 곳에서 아우라를 만날 수 있어."

아, 그렇구나. 나는 고개를 끄덕였습니다. 봄바람이 한 차례 지나가니 산 속에 있는 나무, 풀, 흙, 새, 곤충 등 모든 생명이 함께 숨을 쉬는 것처럼 눈부시게 아름다웠습니다.

— 《발터 벤야민이 들려주는 복제 이야기》 중에서

나 옛날에 한 왕이 살고 있었다. 왕은 이 지구상의 모든 권력과 재산을 소유하였는데도 나날이 침울해졌다. 그는 후궁들의 아리따운 자태에도 더는 눈을 주지 않았고, 국경 지역의 승리 소식에도 무덤덤해져 갔다. 왕이 가장 즐겼던 것은 맛있는 음식을 먹는 것이었다. 그런데 이제는 아무리 궁정 요리사가 빼어난 솜씨를 발휘해도 거들떠보지도 않았다. 궁정 요리사는 걱정이 되어 왕에게 물었다.

"폐하. 귀하신 몸이 걱정되어 한 말씀 아뢰옵니다. 어쩐 일로 조석을 줄이고 날로 근심이오니까, 폐하."

"괘념치 말라."

"하오나 폐하."

궁정 요리사가 간절하게 읍소하자 왕은 드디어 입을 열었다.

"그대는 오랫동안 짐을 충직하게 섬겼고 짐의 식탁을 훌륭한 요리로 가득 채워

주었네. 고마우이. 아직도 짐은 그대가 만든 요리에 경탄하고 있네. 그러나 요즘은 입맛이 떨어지고 걱정거리만 날로 늘고 있으니……."

"폐하, 황송한 말씀이오나 한 번만 더 분부를 내리시면 폐하께서 근심거리를 말끔히 잊으시도록 정성껏 요리를 마련해 보겠나이다."

"그렇다면 짐이 그대에게 할 말이 있네. 실은 내 평생소원으로 꼭 먹고 싶은 요리가 있는데, 산딸기 오믈렛이라네. 그대는 짐이 50여 년 전에 먹었던 산딸기 오믈렛을 만들어 줄 수 있겠나?"

궁정 요리사는 왕이 원하는 요리가 기껏 산딸기로 만든 오믈렛이라는 걸 알고는 한시름을 놓았다. 그 정도야 당장 뛰어나가서 만들어 올 수 있는 것이었다.

"짐이 젊었을 때, 선왕(先王)의 뜻을 따라 동쪽에 사는 이웃 왕과 전쟁을 벌인 적이 있었네. 그런데 우리는 싸움에 지고 말았지. 그래 밤낮을 가리지 않고 며칠 동안 도망을 쳐 깊은 숲 속으로 숨게 되었네. 다행히 목숨은 건지게 되었으나 무척 배가 고팠다네. 기진맥진한 상태에서 어느 조그만 오두막집에 이르게 되었는데 한 노파가 뛰어나와 우리를 반기더니 곧 부엌으로 가서는 산딸기 오믈렛을 가지고 왔다네. 짐은 그 오믈렛을 정신없이 먹고 나서야 기운을 차릴 수 있었다네. 여보게, 그대는 그처럼 맛있는 오믈렛을 만들 수 있겠는가. 그 오믈렛 맛을 짐에게 선사한다면 그대를 사위로 삼아 제국의 후계자로 만들겠네. 그렇게 못한다면 그대는 죽어야만 하네."

궁정 요리사는 낯빛이 창백하게 변했다. 몸이 바들바들 떨리고 입술이 바싹 타들어갔다. 이윽고 요리사가 입을 열었다.

"폐하, 폐하의 뜻이 그렇다면 곧장 형리를 불러 주십시오. 물론 저는 산딸기 오믈렛을 만드는 법과 하찮은 냉이부터 고상한 티미안 향료까지 모든 양념을 잘 알고 있습니다. 그러나 폐하, 제가 아무리 비싸고 귀한 재료를 써서 산딸기 오믈렛을 만든다 해도 폐하의 입맛에는 맞지 않을 것입니다. 전쟁의 위험, 쫓기는 자의 목숨을 건 긴장감, 오두막집을 발견했을 때의 안도감, 뛰어나오던 노파의 온정, 허름하지만 온기가 서려 있는 부엌, 어떻게 될지 모르는 현재의 불안함과 어두운 미래. 이 모든 것이 없는 상태에서 어찌 폐하의 입맛에 맞는 오믈렛을 만들겠나이까. 폐하, 죽여주소서."

— 발터 벤야민, 〈산딸기 오믈렛〉 중에서

생각 쓰기

case **2** 다음 제시문 〈가〉와 〈나〉는 모두 대중문화에 대한 내용이다. 대중문화에 대하여 두 제시문이 각각 어떤 입장을 가지고 있는지를 분석해 보시오. 이를 토대로 〈다〉에 나오는 현상에 대하여 자신의 생각을 비판적으로 설명하시오. (600자 내외)

가 나는 옆 테이블 위에 놓인 해바라기 앨범을 보았습니다. 앨범 겉표지가 된 해바라기는 예술 작품이란 느낌이 전혀 없었습니다.

"세상 많이 좋아졌지. 현대가 아니면 어디 우리 같은 일반인이 예술품을 보고 살 수가 있어." 이모가 말했습니다.

"맞아. 우리 같은 서민들이 감히 유명 화가의 예술 작품을 코앞에서 감상할 수 있다니."

그리고 삼촌은 피식 웃었습니다. 나는 이모와 삼촌이 하는 말을 이해하지 못했습니다.

"우리 같은 서민이라니? 서민은 예술 작품을 감상 못해?"

"예술은 원래 고급 문화였어. 그래서 예술 작품과 공연은 귀족들만 누릴 수 있었어. 하지만 예술 작품들이 복제되어 퍼트려지면서 대중들이 접하게 됐지."

엄마가 말했습니다.

"대중들은 '멀리 있으면서 근접할 수 없는 아우라'를 자신에게 가까이 끌어오고 싶어 했지. 쉽게 말하면 신비스러운 감동을 주는 풍경이나 예술 작품을 방 안에 두고 싶어 했어. 그래서 진품 대신 사진과 엽서를 구입해서 집에 붙여놓게 된 거야."

— 《발터 벤야민이 들려주는 복제 이야기》 중에서

나 고급문화보다 대중문화 위주의 문화 편식 현상이 나타난다는 점이다. 이는 청소년들이 누리는 문화가 대중 매체에 의해 매우 큰 영향을 받고 있다는 사실과 관련된다. 이러한 대중문화 편식 현상은 단순히 대중문화가 고급문화에 비해 질이 낮은 문화라는 이유보다는, 대중문화가 중독성이 있다는 점, 그리고 창작과 같은 능동적인 문화 활동보다 수동적이고 수용성이 높은 활동이라는 점 때문에 발달 과정에 있는 청소년의 정서에 부정적인 영향을 끼칠 수 있다.

대중문화란 익명의 다수가 손쉽게 접하고 즐기는 문화로서, 대중 매체를 통하여 전파되고 유통되는 문화를 가리킨다. 텔레비전, 라디오, 인터넷, 신문, 잡지, 비디오 등이 대중문화를 전달하는 주요 매체이다. 이러한 대중문화는 대량 소비문화이며, 상업적 목적으로 주로 오락성을 강조하는 낮은 수준의 문화라는 데 많은 문제점이 있다.

— 고등학교《도덕》중에서

다 "UCC도 어찌 보면 영화와 마찬가지야. 스타를 만들어 낸다는 점에서 말이지. 말하자면 아우라를 되살리는 격이랄까?"

"아우라를 다시 되살아나게 하는 거라면 좋은 거잖아."

"아우라는 예술 작품 원본에서만 느낄 수 있는 거야. 사진과 영화는 그 자체가 아우라를 파괴하는 성격을 가진 매체인데, 그것들이 되려 아우라를 강하게 살리려고 하는 거지."

"어떻게 사진과 영화가 아우라를 살려?"

"네가 UCC의 스타가 된 것처럼, 사람들이 숭배할 스타를 만들어서 아우라를 씌우는 거지. 연예인 말고도 정치인도 그런 방법을 써서 사람들을 현혹시킨단다. 이런 것들이 과연 바람직한지 아빠는 의심이 들어. 사람들은 결국 진짜 아우라가 아닌 가짜 아우라에 속는 것 아닐까?"

진짜 아우라와 가짜 아우라? 아빠가 말하는 진짜와 가짜의 차이가 뭘까? 내가 생각했던 아우라는 쉽게 말해 사람들이 예술 작품을 보며 느끼는 몸서리쳐지는 감동 같은 것이었습니다. 그런데 아빠는 그런 감동까지도 가짜로 만들어 낼 수 있다고 생각하는 듯 했습니다.

— 《발터 벤야민이 들려주는 복제 이야기》 중에서

생각 쓰기

case 3 제시문 〈가〉와 〈나〉에 공통적으로 나타나는 문제점이 무엇인지를 지적하고, 이를 해결할 수 있는 방법에 대한 자신의 생각을 논술하시오. (600자 내외)

가 "전쟁은 곧 속도전이란 말도 있잖아. 전쟁 때 쓰이는 엄청나게 빠른 무기들 있지? 전투기라든지, 총알이라든지, 그걸 통해 인간은 속도에 대한 쾌감을 느끼는 거야. 그래서 히틀러 같은 사람은 그 전쟁 무기들로 도시를 폭격하고 파괴하면서 잔인한 전쟁을 아름답게 표현했단다."

"너도 전쟁 게임 많이 하니까 속도감에 대해 좀 알겠네?"

이모의 물음에 나는 자라목처럼 어깨를 움츠리며 고개를 끄덕였습니다.

"이모가 벤야민이란 철학자 얘기한 적 있지?" (……)

"벤야민은 전쟁을 아름답게 표현한 영화를 비판했어. 사실 전쟁 영화만큼 흥미진진한 영화도 없지. 수많은 금속 무기들이 사람들을 죽이지. 여기저기 피가 튀기는 끔찍한 살육 장면이 자유와 정의의 이름으로 아름답게 표현되잖아."

이모는 이마를 찡그리며 계속 말했습니다.

"영화 속 전쟁은 인간의 지각을 변화시켜서 때로는 즐거움을 줘. 하지만 전쟁이 아름답게 표현되는 장면에 익숙해지다 보면 자신도 모르게……."

이모는 말끝을 흐리며 걱정스런 눈빛으로 날 바라보았습니다.

"잔인한 게임을 지나치게 많이 한 청소년이 게임과 현실을 구분 못하고 범죄를 저질렀다는 얘기, 뉴스에서 들어 봤을 거야."

　　　　　　　　　　　　　　　　　—《발터 벤야민이 들려주는 복제 이야기》 중에서

🐾 1999년 미국 펜실베이니아 콜럼바인 총기난사 사건은 다섯 시간 동안 텔레비전 생중계로 보도될 만큼 '메가히트'급 뉴스 아이템이었다. '섹시한 뉴스'에 관한 대가는 참혹했다. 보도 후 50일 동안 펜실베이니아 주 고등학교의 총기난사 협박 사건이 354건으로 급증한 것. 언론의 정확한 보도가 범죄 심리를 자극한 셈이다.

게임의 경우 게임을 즐기는 당사자가 직접 '가상 살인'에 가담하는 형식이다. 따라서 텔레비전, 영화와 같은 수동적인 매체보다 훨씬 더 모방 범죄의 확률을 높인다. 2001년 온라인 게임이 중독된 중학생이 동생이 잠자는 사이 도끼로 목을 내리쳐 살해한 사건이 발생했다.

살해 도구인 손도끼는 게임 속 아이템과 유사했으며 전문가들은 범죄를 저지른 중학생이 게임 속 가상 세계와 현실을 혼동했을 가능성이 높은 것으로 분석했다. 2004년 9월 권 모씨(22)는 '크레이지 아케이트' 게임에서 자신을 계속 이긴다는 이유로 6살짜리 6촌 동생을 목 졸라 살해한 사건도 있다.

— 《주간한국》, 2008년 4월 8일자 기사 중에서

생각 쓰기

생각 쓰기

실 전 논 술

예시 답안

제시문 〈가〉에서는 산에서 느끼는 느낌들에 대해서 말하고 있다. 우리는 군이 산에 직접 올라가지 않더라도, 산에 올라간 것과 똑같은 것들을 볼 수 있다. 바로 사진이나 동영상 촬영과 같은 복제 기술을 통해서이다. 군이 힘들게 땀 흘려 가면서 올라갈 필요가 없다. 하지만, 복제된 산을 볼 수 있고 들을 수 있을지는 몰라도, 느낄 수 없는 것들이 있다. 바로, 산 위에서 부는 바람의 냄새나 날아가는 곤충의 모습, 흙의 질감이나 지저귀는 새의 울음소리 같은 것들이다. 아름다운 들꽃의 빛깔이나 향기도 느낄 수 없다. 직접 산에 올라가서 경험할 수 있는 것이며, 그 순간만 느낄 수 있는 단 한 번의 자연을 통한 경험, 바로 아우라이다.

〈나〉에서 왕이 그토록 다시 한 번 맛보기를 원하는 산딸기 오믈렛 역시 이 아우라를 가지고 있다. 아무리 똑같은 재료와 요리법으로 오믈렛을 만들어 낸다고 해도, 세계 최고의 요리사라고 해도, 적에게 쫓기는 왕이 느꼈던 많은 감정들이 함께 녹아있던 오믈렛을 그대도 복제할 수는 없다. 어느 누구도 부러울 것이 없을 왕이라도 그 경험을 다시 하지는 못할 것이다. 아마 다시 전쟁이 일어나 적에게 쫓기는 상황이 된다면 비슷하게 느낄 수 있을지도 모른다. 이렇게 단 한 번 느낄 수 있는 감정, 어느 누구도, 어떠한 기술도 복제할 수 없는 신비하고도 유일한 경험을 '아우라'라고 한다.

예전에는 문화라는 것이 고급한 것이었고, 가난하고 교양 없고 여유가 없었던 서민들과는 멀리 떨어진 것이었다. 하지만, 복제기술의 발전은 서민들도 문화를 편하게 즐길 수 있게 만들어 주었다. 뛰어난 예술작품을 보기 위해서 꼭 돈과 시간이 필요한 것은 아니다. 화집을 사거나 인터넷 검색을 통해서도 충분히 즐길 수 있고, CD나 MP3를 통해서 보고 들을 수 있게 되었다. 복제기술의 발전은 이렇게 누구나 즐길 수 있는 문화, 즉 대중문화를 가능하게 했다. 하지만 이러한 대중문화는 부정적인 모습을 가지기도 한다. 바로, 상업적 목적을 가지고 만들어지기 때문에 오락적이고 깊이가 얕을 수밖에 없다. 그만큼 중독성도 강해서, 대중문화에 빠지게 되면, 문화를 창조적으로 만들어 내기 보다는 멍하니 받아들이기 쉽다.

그런데 이런 대중문화를 많은 청소년들이 무비판적으로 받아들일 뿐만 아니라 동경하기까지 한다. 실제로는 알맹이가 없는 텅 빈 것인데도 불구하고, 마치 대단한 무언가를 가진 것처럼 착각하고 휩쓸리기 쉽다는 것이다. 바로 〈다〉에서 아빠가 비판하고 있는 가짜 아우라의 모습이다. 창조적인 예술을 통해서 느낄 수 있는 것이 아우라인데, 가짜 아우라는 이제 감동마저도 진짜인 것처럼 만들어 사람들을 속이는 무서운 힘을 가지고 있다.

제시문 〈가〉와 〈나〉에서는 가짜를 진짜인 양 속이는 것이 얼마나 위험한지를 보여준다. 전쟁이 위험하고 끔찍한 파괴 행위라는 것은 누구나 알고 있는 상식이다. 하지만, 한때 히틀러와 같은 사람은 전쟁이 위대하고 아름다운 것이라고 사람들을 속였고, 히틀러가 만들어 낸 가짜 아름다움에 사람들은 속아 넘어갔다. 그런데 문제는 이러한 가짜의 위험성이 히틀러 시대뿐만 아니라 오늘날 훨씬 더 심각하게 나타난다는 것이다. 누구나 쉽게 즐기는 오락 게임을 통해서 말이다. 게임뿐만 아니라 아무렇지 않게 사람을 죽이고, 삶의 터전을 파괴하는 오락 영화들을 보면서 '통쾌하다'며 재미있어 하고, 열광하기도 한다.

문제는 이러한 가짜 즐거움이 가짜로만 머무는 것이 아니라 실제로 나타난다는 것이다. 제시문 〈나〉에 나오는 총기난사사건이나 살인사건 등은 가짜 현실에서 나타나는 것이 아니라, 가짜를 진짜로 착각한 사람들이 벌인 끔찍한 일들이다. 이러한 일들이 앞으로도 계속 된다면 세계는 정말 끔찍한 곳이 될 것이다.

이러한 문제를 해결하기 위해서 우리는 먼저 가짜와 진짜를 구분할 수 있는 판단력을 가져야만 한다. 또한 가짜가 얼마나 위험하고 폭력적인지를 비판할 수 있어야만 한다. 기술이 발전할수록, 가짜는 더욱 판을 칠 것이다. 인간의 판단력과 비판력이 절실히 필요한 때이다.

철학자가 들려주는 철학이야기 073

하버마스가 들려주는 의사소통 이야기

저자_이지영

연세대학교 사회학과를 졸업하고, 연세대학교 대학원에서 사회학 석사 학위를 받았다. 이후 서울 주요 논술학원에서 인문계 논술강사로 활동하고 있으며, 〈박학천 아작 정시 논술〉, 〈박학천 아작 수시 논술〉, 〈한솔 M 플라톤 논술〉시리즈 등 다수의 논술 교재를 집필했다.

Jürgen Habermas

하버마스와 '의사소통'

하버마스 주요 개념

1. 위르겐 하버마스를 만나다

1) 위르겐 하버마스는 누구인가 — 시대와 생애

위르겐 하버마스(Jürgen Habermas)는 1929년 독일에서 태어난 철학자이자 사회학자로, 살아 있는 20세기 마지막 사상가라고 할 만큼 전 세계에 큰 영향력을 발휘하고 있다. 1996년 한국을 방문하기도 했다.

하버마스는 독일의 '프랑크푸르트학파(Frankfurter Schule)' 비판 이론의 계승자라고 불리는데, 이성의 합리성을 바탕으로 하여 의사소통과 대화를 통해 합의를 이끌어 내는 '의사소통행위이론'을 주장했다. 또한 진리는 발견되는 것이 아니라, 사람들 사이에서 합의되는 것이라는 '진리합의설'을 주장하기도 했다. 하버마스의 이론을 알기 위해서는 '이성'과 '합리성'에 대한 이해를 먼저 해야만 한다.

17세기 영국의 철학자 데카르트가 말한 '나는 생각한다, 고로 존재한다(Cogito, ergo sum)' 이래로, 인간의 생각하는 능력 즉, 이성(理性)은 모든 것의 중심이 되어 왔다. 이전에는 이성이 아닌 종교 즉, 신(神)이 모든 것의 중심이었지만, 데카르트 이후 이성이 중심이 된 것이다. 이성은 인간을 둘러싼 세계에 대하여 의문을 갖게 하고, 그것을 풀기 위하여 노력하게 만들었다. 뿐만 아니라, 신이 아니라 인간이 세계의 중심에 설 수 있도록 해주었다. 오늘날 우리가 누리고 있는 과학기술, 자본주의, 민주주의 등과 같은 문명은 모두 근대 이후 인간의 이성을 바탕으로 한 것이다. 그렇지만 이성을 바탕으로 한 문명의 발전은 수많은 문제들도 동시에 가져왔다. 대규모의 인명 살상을 일으킨 두 번의 세계대전, 과학기술 발전에 따른 치명적인 환경문제, 자본주의가 만들어 놓은 전 세계적인 극심한 빈부 격차, 모든 것을 인간 중심적으로 바라보는 인간중심주의 등이 이성 중심적 사고가 가져온 심각한 문제의 대표적 사례들이다.

하버마스 이전 시기인 20세기 초반부터 인류가 처한 심각한 문제를 반성하면서, '이성중심주의'에 대한 비판이 시작되었다. 심지어는 인간의 이성 자체를 의심하고 부정하기도 하였다. 뿐만 아니라, 이성을 지닌 인간이 모든 것의 중심이고, 자유의지를 가진 주체적인 존재라는 것마저도 부정하게 된다. 프로이트(Freud)와 같은 정신분석학자는 인간의 이성으로 이해할 수 없고, 파악할 수도 없는 '무의식'의 중요성을 강조했다. 예를 들어, 우리는 자신도 모르게 말실수를 하게 될 때가 있다. 학교에서 '선생님'을 '할머니'로 부르거나, '책 좀 건네줘'라는 말 대신 '빵 좀 건네줘'라고 실수를 할 수도 있다. 심한 경우에는 자신도 모르게 욕설이 튀어나와, 혼나는 경우도 종종 있다. 그런데 이러한 실수는 왜 하는 것일까? 자신의 입으로 내뱉은 말이 왜 나왔는지 스스로 알 수 없다는 것은 무엇을 의미하는 것일까? 프로이트는 사람들이 이러한 말실수를 종종 하게 되는 것은 스스로 이성적으로는 파악할 수 없는 의식의 세계 즉, '무의식' 의 세계에 의해 지배받기 때문이라고 분석했다. 소쉬르(Saussure)와 같은 언어학자 역시 이성을 바탕으로 사고하고, 주체적인 자유의지를 가진 인간이라는 존재를 부정했다. 인간이 자유롭게 언어를 사용하는 것처럼 보이지만, 실제로 인간은 문법과 같이 눈에 보이지 않는 언어구조에 철저하게 지배당하는 존재일 뿐이라고 말했다. 레비스트로스(Lévi-Strauss)와 같은 학자 역시 인간의 이성적 능력을 부정하면서, 인간은 스스로의 의지나 이성에 의해서 살아가는 주체적인 존재가 아니라 눈에 보이지 않는 구조, 예를 들어 언어구조나 사회구조와 같은 것들에 의해서 지배받는 존재라고 주장했다. 이성에 반대하여 깊은 구조를 탐구하고, 그것이 인간을 지배한다는 생각을 '구조주의' 라고 부른다. 이후 1960년대에 들어서면서부터 인간의 이성을 비판하고 부정하는 흐름은 더욱 강력하게 나타나게 된다. 푸코(Foucault), 데리다(Derrida), 라캉(Lacan), 들뢰즈(Deleuze)와 같은 학자들은 인간의 이성을 바탕으로 한 계몽과 도덕을 거부하고, 합리주의로 위장한 이성의 폭력적인 힘을 폭로하고 비판했다. 이러한 사상을 '포스트모더니즘' 이라고 부른다.

　이와 같은 인간 이성에 대한 부정과 비난에 대항해 여전히 이성을 가진 주체적인 인간, 계몽의 긍정적인 역할 등을 주장한 사람들이 바로 하버마스가 속한 프랑크푸르트학파의 학자들이었다. 하버마스는 구조주의와 포스트모더니즘과 같은 이론은 다양한 형태의 이성을 보지 못하고, 오직 한 가지 성격의 이성만을 보고 있다고 비판했다. 또한 인간의 이성을 부정한다면, 도대체 인간과 인간이 만들어 놓은 문명사회는 무엇으로 움직여야 하는지, 이성중심주의가 가져온 심각한 문제들은 무엇으로 풀어야 하는지에 대한 답을 내릴 수 없다고 생각했다.

하버마스가 주장하는 것처럼 인간의 이성은 하나가 아니라 여러 가지 성격을 가지고 있다. 이성을 바탕으로 해서 행동하는 것을 흔히 '합리성' 혹은 '합리주의'라고도 하는데, 합리성은 크게 '도구적 합리성'과 '의사소통적 합리성', '비판적 합리성'으로 나눌 수 있다. 그런데 이 세 가지 합리성은 어떤 차이를 가지고 있을까? 간단한 예로 그 차이를 이해해 보자. 뚜렷한 이유도 없이 왠지 밉고, 싫은 같은 반 친구가 있다고 하자. 그 아이를 괴롭히기 위해서는 어떤 도구가 좋을까? 아마 지우개와 같은 뭉뚝한 것보다는 연필과 같은 뾰족한 도구가 더 좋을 것이다. 친구를 괴롭히겠다는 목적에 가장 적합한 도구를 가늠해서 선택하기 위해서 필요한 것은 무엇일까? 도구들의 성능을 비교하고, 계산하면서 결과를 예측하는 능력, 즉 이성이 있어야 한다. 이와 같이 목적을 달성하기 위한 수단을 고민하고 계산하고 예측하는 능력을 하버마스는 '도구적 합리성'이라고 말한다. 구조주의와 포스트모더니즘이 비난하고 부정했던 인간 이성은 바로 이 '도구적 합리성'이라는 것이다. 하버마스 역시 '도구적 합리성'만을 강조하는 것은 반대하고 비판한다.

그런데 이성은 또 다른 성격도 가지고 있다. 좀 전의 예로 돌아가 보자. 지우개가 아닌 연필이라는 훌륭한 수단을 선택해서 이제 남은 것은 밉고 싫은 그 친구를 괴롭히는 일만 남았다. 그런데 이때 인간은 이러한 생각도 하게 된다. '과연, 친구를 괴롭히는 나의 목적이 올바른 것일까?' 하고 말이다. 자신이 하려는 행위의 목적이 올바른 것인지 아닌지를 판단하기 위해서도 역시 생각하는 힘이 필요하다. 스스로를 돌아보면서, 행위의 목적이 옳은지를 질문하고, 그 목적이 정당하지 않을 때 이를 반성할 수 있는 이성의 힘, 이것이 바로 '비판적 합리성'인 것이다. 하버마스는 구조주의나 포스트모더니즘 이론가들이 비판한 것과 같이 근대 이후 인간의 '도구적 이성'이 치명적이고 수많은 문제들을 가져왔다는 데 동의한다. 그러나 이것을 해결할 수 있는 것은 이성 자체에 대한 비난이나 부정이 아니라, 이성의 또 다른 힘, 바로 '비판적 이성' 혹은 '비판적 합리성'을 살리는 것이라고 보았다.

마지막으로 이런 '비판적 합리성'은 개인 혼자만 가지고 있어서는 안 된다. 사회는 혼자서 살아갈 수 있는 공간이 아니며, 혼자만의 생각은 아무리 합리적이라 할지라도 독단에 빠질 위험을 갖고 있기 때문이다. 그렇기 때문에 하버마스는 '의사소통적 합리성'을 주장한다. 의사소통적 합리성이란, 개인들이 자신의 생각이나 행위에 대하여 타인에게 설명, 설득하는 것이고 타인 역시 자신의 말과 행위에 대하여 나에게 설명하고 설득하는 것이다. 이러한 상호 간의 소통을 통하여 합의를 이끌어낼 수 있는 것이다.

2) 비판적 합리성을 바탕으로 한 의사소통의 중요성
─《의사소통의 행위이론》

인간이 생각할 수 있고, 생각을 말할 수 있고, 그 생각을 다른 사람들과 나눌 수 있는 것은 인간의 이성적 능력이다. 그런데, 사람들은 문제가 발생할 때 합리적으로 해결하지 못하는 경우가 종종 있다. 혼자 독단적으로 문제를 해결하려고 하거나 다른 사람들과 합리적으로 생각을 나누지 못하기 때문이다. 이에 하버마스는 다른 사람들과 의견을 나누어야 하는데, 이때 의사소통이 투명하고 합리적으로 이루어져야 한다고 보았다. 이러한 의사소통은 두 가지로 나누어지는데, 하나는 일상생활(시민사회)에서 일어나는 의사소통이고, 다른 하나는 공적인 분야(공적 영역)에서의 의사소통이다. 이 두 가지의 의사소통이 투명하고 활발하게 이루어져야만, '도구적 합리성'이 가져온 현대 사회의 수많은 문제들과 앞으로 닥칠 문제들을 해결될 수 있다.

의사소통을 잘하기 위해서 우리는 상대방에게 자신의 생각과 마음을 전달해야 하고, 상대방의 생각과 마음을 주의 깊게 듣고 이해하려고 해야 한다. 그러면서 무엇이 옳고 무엇이 그른지에 대하여 합의된 결론을 내려야만 한다. 옳고 그름을 따지고, 의견을 합의하는 것이 바로 하버마스가 말하는 '진리합의설'이다. 진리는 이미 정해져 있고, 우리가 이것을 깨달아야 하는 것이 아니라 모든 사람이 투명한 의사소통을 통해 합의하는 것이다.

그런데 우리가 살고 있는 현대 사회에서는 이렇게 진리를 합의하고, 투명한 의사소통을 하는 것이 힘들다. 의사소통의 과정에 장애물이 있기 때문이다. 일상생활에서의 의사소통은 경제적 이해관계 때문에, 공적 영역에서의 의사소통은 관료제와 같은 행정제도 때문에 잘 이루어지지 않기 때문이다. 예를 들어, 기업의 구성원인 경영인과 노동자가 서로의 입장에 대하여 합리적으로 의사소통을 하지 않고, 각자 자신들의 이익만을 고집한다면 결코 합리적인 결과를 찾을 수 없다. 또한, 정부가 시민들의 의견을 무시한 채 자신들의 입장만을 고수하려 한다면, 정부와 시민은 대립하고 갈등할 수밖에 없다. 하버마스는 비판적이고 합리적인 의사소통을 가로막는 이와 같은 상황을 '생활세계의 식민지화'라고 부르면서, 이를 벗어나야만 한다고 보았다. 물론, 이때 필요한 것 역시 인간의 이성적 능력이다. 즉, 의사소통이 투명하고 활발하게 이루어지지 않은 현실을 비판하고, 이를 해결하기 위한 방법 역시 인간의 '비판적 합리성' 혹은 '비판적 이성'에서 찾을 수 있다는 것이다. 이러한 하버마스의 이론은《의사소통행위이론》,《공론장의 구조변동》,《현대성의 철학적 담론》등과 같은 저서에 담겨있다.

프랑크푸르트학파(Frankfurter Schule)

호르크하이머, 아도르노, 마르쿠제, 벤야민, 프롬과 같은 학자를 비롯하여, 2차 세계대전 이후
이들을 계승한 하버마스, 슈미트 등과 같은 이론가들을 함께 부르는 말이다. 호르크하이머가
지도하기 시작한 '프랑크푸르트 사회연구소'에 참가한 학자들에서 비롯된 명칭이다.
이 학파는 도구적·기술적 이성을 바탕으로 한 현대 사회의 문제점들을 비판하였다. 기술의
발전이 인간으로 하여금, 자신의 삶에 대해 반성하지 못하고, 자각할 수 있는 여유를 갖지
못하게 한다고 보았다. 또한 물질적인 번영과 정치적, 사회적 자유에도 불구하고, 현대인들
은 서로 인간적이고 정서적인 연대감을 갖지 못하는 인간 소외의 위기 속에 살아가고 있다
고 보았다. 뿐만 아니라 자본주의의 발전은 인간을 그 사람이 어떤 존재인지가 아니라 그
사람이 얼마만큼을 소유했는지에 따라 판단한다고 비판했다. 이러한 문제들을 해결하기 위
해서는 인간의 '도구적 이성'을 비판하고, 이를 극복할 수 있는 '비판적 이성'이 필요하다고
주장하였다.

---

2. 교과서 속에서 만난 하버마스

1) 합리적인 의사 결정

민주 사회에서는 구성원 사이의 대화와 타협이 중요하다. 그런데 이러한
대화와 타협을 통한 합의는 합리적 의사 결정에서 비롯된다.

먼저, 한 시민의 의사 결정은 개인의 이익을 떠나 다른 많은 사람들을 생
각하여 합리적으로 이루어져야 하며, 그 결과에 대해서도 책임을 져야 한다.

즉, 시민은 자신이 그 사회의 주인이라는 투철한 주인 의식을 가지고 의사 결정을 해야 한다.

또, 합리적인 결정을 내리려면 현명하게 판단해야 한다. 현명한 사람은 감정에 이끌리지 않고, 남의 행동을 모방하거나 다른 사람의 말만을 믿지 않으며, 다른 사람의 지시나 요구에 따라서 결정하지 않는다.

다음으로, 합리적 의사 결정을 위해서는 다양한 의견을 듣고 어떤 행동이 정당한지 충분히 토론하고 이해를 하여야 한다. 자기의 주장만 내세우며 남의 주장에는 귀를 기울이지 않는 독단적이고 폐쇄적인 태도는 옳지 못하다.

그리고 합리적 의사 결정을 위해서는 많은 지식과 정보를 가지고 있어야 한다. 그러한 정보를 자신의 가치관에 따라서 생각해 보고, 다시 다른 사람들의 일반적인 가치관과도 비교해 보아야 한다. 그런 다음 자신이 옳다고 믿는 원칙을 가지고 무엇이 사실인지 확인한 다음, 신중하게 결정해야 한다.

끝으로, 합리적 의사 결정을 할 때에는 자신의 선택에 대한 분명한 이유를 제시할 수 있어야 한다. 사회 문제에 대해 시민들이 어떤 결정을 내리든지 그것은 자유일 수 있다. 중요한 것은 왜 그것을 선택했는가를 분명히 할 수 있어야 한다. 선택한 이유를 분명히 제시하고 그것을 남에게 이해시킬 수 있다면, 그 선택은 올바른 것이며, 책임 있는 결정이라고 할 수 있다.

— 중학교 《도덕》 중에서

중학교《도덕》교과서에서는 사회 구성원들 간의 대화와 타협, 그리고 합리적인 의사 결정의 중요성을 설명하고 있다. 합리적인 의사 결정에는 개인의 이익을 떠나 다른 사람들을 생각해야 한다고 말하고 있다. 만일 개인이 자신의 이익만을 생각하고 다른 사람들을 고려하지 않는다면, 합리적인 의사 결정은 애초부터 불가능한 것이다. 하버마스가 '생활세계의 식민화'를 비판한 것 역시 이 때문이다. 또한 교과서에서는 합리적인 결정을 위해 많은 것들이 필요하다고 설명한다. 현명한 판단, 다양한 의견의 소통을 통한 정당한 결론 도출, 자신이 옳다고 믿는 원칙과 다른 사람의 원칙을 비교하는 것, 그리고 책임 있는 결정이 이에 해당한다. 하버마스가 주장한 것도 이와 다를 바가 없는데, 무엇이 옳고 그른지를 비교하면서 올바른 것을 합의하는 것이 바로 하버마스의 '진리합의설'이며, '의사소통행위'에 필요한 '비판적 합리성'이 이에 해당한다.

2) 한 사회의 주인으로서의 시민

민주 시민은 일상생활에서 나타나는 바람직하지 못한 현상을 해결하기 위해 노력해야 한다. 시민은 사회의 주인이고, 시민의 노력에 의해 사회가 발전할 수 있기 때문이다. 작은 일이라도 잘못되거나 불편한 일에 대해서는 관계 기관에 개선을 요구하거나, 신문 등 매스컴에 자기의 의견을 주장하는 것이 필요하다.

더 나은 사회를 만들어 가기 위해서는 혼자서 노력하는 것보다 여러 사람이 힘을 합치는 것이 더 효과적인데, 이를 위해 시민들은 시민단체를 조직하여 활동한다. 우리는 단체에 가입하여 사회를 고쳐 나가는 일에 참여할 수 있다.

최근 학생들도 학교의 시설과 생활 개선을 건의하는 등 학교 운영에 다양하게 참여하기 위해 노력하고 있다. 또한, 환경·교통 문제 등 지역 사회의 여러 가지 문제들에 대한 해결 방법을 찾기도 하고, 지역 사회의 여러 가지 기관에 대한 봉사 활동도 펼치면서 시민의 참여 생활을 실천하고 있다.

— 중학교 《사회》 중에서

중학교 《사회》 교과서에서는 한 사회의 주인으로서 시민의 노력과 함께 시민단체의 활동에 대하여 설명하고 있다.

'인간은 사회적 동물' 이라는 말에서 알 수 있듯이, 인간은 혼자서만 살아갈 수는 없는 존재이다. 태어나서 아무도 없는 무인도에 버려지지 않는 한, 우리는 사회 속에서 사회적 존재로 살아갈 수밖에 없다. '늑대소년' 과 같은 예에서도 알 수 있듯이, 사회 속에서 살아가지 않는 인간은 인간이라고 말하기 어렵다. 그런데 사회적 존재로 살아간다는 것은 무엇을 의미할까? 대부분의 사람들은 평범한 일상을 살아간다. 학생들은 과제나 시험과 같은 골치 아픈 것들을 해결하기 위해서 노력하고, 친구들과 우정을 나누면서 미래에 무엇이 될지 고민하면서 살아간다. 어른들 역시 돈을 벌기 위해 노동을 하고, 가족의 건강과 안녕을 위해 노력하고, 주변 사람들과 친교를 맺고 살아간다. 그런데 이렇게 지극히 평범하고 개인적인 일상을 살아가면서 동시에 사회 구성원으로서도 살아가야만 한다. 나의 일상과 직접적인 관계가 없더라도, 기름때를 제거하기 위해 태안 지역에 가기도 하고, 정치인들의 올바르지 못한 행동에 대해서 비판하거나 정부의 잘못된 정책에 대해서 분개하여 목소리를 높이기도 한다. 하버마스는 사회란 이렇게 시민 사회라고 불리는 일상생활의 영역과 공공 영역이라고 불리는 영역으로 나누어지며, 이 두 영역은 따로 존재하는 것이 아니라 서로 연결되어 있다고 보았다. 두 영역 속에서 살아가는 사람들은 의사소통을 하게 되고, 이것이 합리적으로 잘 이루어져야 한다고 주장한다. 특히, 공공 영역에서의 의사소통이 비판적이고 합리적으로 이루어져야 한다고 지적했다.

1990년대 이후부터 오늘날까지 한국 사회에는 많은 시민단체들이 활동하고 있다. 이 단체들은 개인의 이익을 위한 것이 아니라, 개인들이 살아가고 있는 사회가 좀 더 올바른 방향으로 나아가기 위해 활동한다. 예를 들어, 환경단체는 종종 정부가 추진하려는 국가사업에 대해서 비판하고 대항한다. 교통체증 문제를 해결하기 위해서 산에 터널을 뚫는 사업에 대해서 환경보호와 보존을 주장하면서 비판하고 반대한다. 하지만, 환경단체의 회원들도 꽉 막힌 차도 때문에 짜증이 나고, 터널을 통과하는 것이 돈과 시간을 절약할 수 있다는 것을 안다. 본인에게는 훨씬 더 좋은 사업이지만, 사회의 앞날을 생각하면서 자신의 이익을 포기하는 것이다. 시민사회의 일원으로서 공공 영역에서 활동하는 것이다. 하버마스가 주장하는 공공 영역에서의 비판적이고 합리적인 의사소통은 바로 이러한 시민들의 활동을 의미한다.

상호주관성(intersubjectivity)

하버마스는 한 사회 내에서 합리적 의사소통을 하는 사람들은 '상호주관성'을 갖는다고 주장한다. 상호주관성이라는 것은 다수의 사람들이 공통적으로 가지고 있는 주관(主觀)을 의미한다. 예를 들어, 내 친구가 다쳐서 고통을 호소할 때, 굳이 내가 다치지 않더라도 나는 그 고통을 이해할 수 있다. 언어능력과 생각할 수 있는 이성적 능력을 가지고 있다면, 누구라도 이해 가능한 일이다. 이러한 상호주관성이 있어야만, 우리는 타인들과 사회 속에서 잘 살아갈 수 있는 것이다. 그렇기 때문에 상호주관성을 가지기 위해서는 개인과 개인 간의 투명한 의사소통이 필요하다. 만일 의사소통이 제대로 이루어지지 않아 상호주관성을 가질 수 없다면, 내 친구의 고통을 이해할 수 없게 된다. 나아가 사회 내의 문제들을 이해하지 못하고 해결하지 못한 채 살아갈 수밖에 없는 것이다.

---

3. 기출 문제에서 만난 하버마스

1) 한없이 투명하고 합리적인 의사소통 행위

하버마스의 이론은 대학의 논술 고사에서 자주 다루어지는 주제 중의 하나이다. 2003년 고려대 정시 논술의 경우 하버마스의 '비판적 합리성'에 대하여 출제된 바 있다. 효율성만을 강조하는 도구적 합리성을 반성하고, 비판적 합리성이 필요하다는 것이 그 주된 내용이었다. 하버마스의 이론 중에서 특히 '의사소통행위이론' 역시 대학의 논술고사에서 자주 다루어 지고 있다. 경희대 2006년 수시 논술에서는 하버마스의 '합의 도출'에 관하여 출제되었고, 같은 해 이화여대 정시 논술에서도 '의사소통행위'에 대하여 출제된 바 있다. 뿐만 아니라 2008년 경북대의 논술예시문제에서도 역시 하버마스의 '의사소통행위'에 대한 내용이 나왔다.

하버마스의 이론이 논술고사에 단골 주제로 나오는 것은 한국 사회의 현실 때문이기도 하다. 1980년대까지 한국 사회는 급격한 경제성장을 경험하는 대신, 권위적인 정권에 의하여 자유로운 의사 표현이 제한되어 있었기 때문이다. 일상생활에서의 개인들은 더 많은 경제적 이익을 가지기 위해서 수단과 방법을 가리지 않았고, 공공 영역에서는 시민들의 자유로운 입을 막아버렸다. 그렇지만, 1980년대 후반 이후부터 민주적인 방식으로 정부가 들어서면서는 변화하기 시작했고, 이제 사람들은 공공 영역에서 자유롭게 의견을 표출할 수 있게 되었다. 자신의 이익과 직접적인 관련이 없는 사회적인 문제에도 관심을 기울이기 시작했다. 1990년대부터 현재까지 수많은 '시민단체'들이 일상생활의 영역과 공적 영역에서 활동하는데, 하버마스의 이론 역시 이때부터 활발하게 연구되기 시작했다. 인터넷과 같은 정보통신기술이 급격하게 발달한 오늘날에 개인들은 더욱 더 활발하게 의사를 내놓고 있다.

그런데 하버마스가 말하는 '비판적 합리성'을 가진 의사소통행위는 소통할 수 있는 길이 닦여졌다고 해서 바로 완성되지는 않는다. 그 길을 걷는 사람들이 합리적인 존재여야만 한다. 이상적인 의사소통의 공동체를 건설하기 위해서는 필요한 조건들이 있기 때문이다. 먼저, 모든 개인들은 소통의 과정에서 자신의 의사에 따라 동의와 비판할 수 있는 자유를 가지고 있어야 한다. 다음으로는 자기중심적인 관점을 극복하고, 공동체의 보편적인 동의에 이를 수 있는 연대감을 가져야 한다. 그러나 오늘날 한국 사회의 의사소통행위가 이러한 조건들을 바탕으로 하고 있는지는 의심스럽다. 제각기 자신들의 이해관계에 따라, 자신들의 목소리만 내고, 상대방의 의견은 귀를 막은 채 듣지 않고 있는 경우가 많기 때문이다. 특히 인터넷과 같은 소통의 공간에서 이러한 비합리적이고 부정적인 모습들을 흔히 볼 수 있다. 자신의 의견에 동의하도록 설득하거나 상대방의 의견에 동의하는 것은 냉철한 판단을 통해야만 하는데, 우리의 모습은 냉철하기는커녕, 뜨거울 정도로 감정적일 때가 많다. 동의의 과정뿐만 아니라 비판의 과정 역시 마찬가지이다. '현대판 마녀사냥'이라고 부를 정도로, 어떤 개인이나 집단의 행동에 대해서 무자비할 정도로 비이성적인 대응을 하는 것을 흔히 볼 수 있다. 자신과 다른 의견을 내세우거나 마음에 들지 않는 행동을 하는 것에 대해서, 험한 욕설을 하거나 사이버 테러와 같은 폭력적인 행동을 서슴지 않는다. 하버마스가 주장한 합리적 의사소통 행위를 할 수 있는 시간과 공간이 만들어졌지만, 미처 준비되지 못한 비이성적이고 비합리적인 개인들이 자주 목격된다. 이러한 문제를 해결하기 위해서 필요한 것이 바로 하버마스가 주장한 '비판적 합리성'을 바탕으로 한 올바른 '의사소통행위'이다. 자신이 하려는 일의 목적이 정당한 것인지를 스스로 질문하고, 잘못된 목적에 대해서는 반성하는 것이다. 이것이 가능하다면, 굳이 '인터넷 실명제'와 같은 인위적인 장치가 없더라도 인터넷은 합리적인 의사소통의 공간이 될 수 있다.

실 전 논 술

논술 문제

제시문 〈가〉에서는 두 가지 가치에 대하여 설명하고 있다. 이 두 가지 가치를 바탕으로 하여 제시문 〈나〉에 나타나는 현상이 어떤 한계를 가지고 있는지 논술해 보시오. (600자 내외)

가 도구적 가치란, 그 자체가 목적이라기보다는 다른 어떤 목적을 위한 수단이 되는 가치를 말한다. 즉, 어떤 목적이 되는 가치를 성취하거나 획득하는 데에 도움이 되는 수단으로서의 가치이다. 예를 들어, 우리의 일상생활에서 볼 수 있는 상품은 대부분 도구적 가치를 지닌다고 할 수 있다. 도구적 가치는 그 자체로 가치를 지니기보다는 목적이 되는 다른 가치가 있어야 가치를 지니게 된다. 그러므로 도구적 가치는 불변의 것이 아니라, 주변의 사정에 따라 수시로 변화하는 특성을 가지고 있다.

본래적 가치란, 다른 무엇을 얻기 위한 방편으로서 소중한 것이 아니라, 그 자체로서 귀중한 것이고, 그 자체가 목적으로서 추구되는 가치이다. 다시 말하자면, 본래적 가치의 특징은 그것이 추구하고 있는 어떤 다른 것 때문에 가치를 가지는 것이 아니라, 그 자체가 스스로 가치를 지니고 있다는 점에 있다. 그러므로 본래적 가치는 도구적 가치의 근원이 되는 가치라고 하겠다. 예를 들면, 기업가가 상품을 만드는 것은 돈을 벌기 위해서이며, 그가 돈을 벌고자 하는 것은 그 돈으로 또 다른 무엇을 얻기 위해서이다. 그리고 그것 또한 그보다 한층 높은 어떤 목적을 달성하기 위한 방편이 된다. 이렇게 점점 높은 목적으로 거슬러 올라가다 보면, 마침내는 더 이상 높은 목적을 생각할 수 없는 궁극적 목적이라 인정되는 가치에 이르게 되는데, 이것이 본래적 가치이다.

🌙 이메일도 있고, 핸드폰도 있는 요즘은 정말 멀리 계신 할머니, 할아버지께 안부를 전하기가 쉬워졌다. 하지만 그래도 직접 만나서 살을 맞대는 것 만한 것은 없다. 그런데 피츠버그의 카네기 멜론(Carnegie Mellon)에서 무선 전화 기술을 응용한 베개를 만들어 화제가 되고 있다. 사람을 만지듯이 부드러운 이 베개는 사람을 직접 껴안는 것처럼 포옹을 할 수 있어 멀리 있는 가족과 훨씬 가까운 느낌을 가질 수 있다.

"허그(Hug)"라고 이름 붙은 이 베개는 과학자들이 로봇 기술을 이용하여 일상 생활에서 노인들을 돕기 위해 만들어졌다. 이들은 53개의 아이디어를 실제 물건으로 만들었는데, 그 중 하나가 허그이다. 허그 베개는 노인들이 가장 필요로 하는 것이 감정적인 위로라는 것에 착안해 만들어졌다. 이 베개는 일반 베개 정도의 크기이지만 소파 쿠션처럼 단단하며 포옹을 할 수 있도록 팔이 달려있다. 겉은 촉감이 좋도록 벨로아를 사용했다.

본래 허그는 멀리 떨어져 있는 가족 간에 사용하도록 만든 것이다. 예를 들면 할아버지와 손녀가 허그를 가지고 커뮤니케이션하는 것이다. 전화처럼 불특정 다수 간에 연락하는 수단이 아니라는 뜻이다. 손녀가 허그로 할아버지와 커뮤니케이션이 하고 싶으면 허그의 왼쪽 손을 누르고 베개 위쪽에 있는 마이크를 향해 할아버지를 부르면 된다. 음성 인식 소프트웨어가 할아버지를 인식하고 상대방인 할아버지가 가진 허그의 번호를 찾아 신호를 보낸다. 할아버지가 가진 허그는 불이 반짝이고 소리가 나서 할아버지가 허그로 연락이 왔음을 알 수 있다. 허그를 받으려면 왼쪽 손을 누르면 된다.

연결이 되면 서로가 가진 허그를 두드리거나 껴안는다. 허그는 센서로 움직임을 감지해 상대방이 가진 허그에 그 행동을 전달한다. 허그의 배 부분에 있는 온도 센서는 시간이 지날수록 따뜻함이 더해져 사람을 껴안는 느낌을 주도록 한다. 통화를 마치려면 오른쪽 손을 누르고 인사를 하면 된다.

허그 전화를 받을 사람이 집에 없어서 못 받으면 전화처럼 목소리나 포옹과 같은 신체 움직임을 메시지로 남길 수 있다. 허그는 4개의 메시지까지 저장이 가능하다.

허그는 전화와 달리 잘못 걸리는 수가 없다. 껴안아 줄만큼 친한 사람들을 주소록에 저장해놓기 때문이다. 핸드폰에 전화번호를 저장하는 것과 같은 이치이다.

—《뉴욕 타임즈(The New York Times)》, 2004년 11월 22일자 기사 중에서

생각 쓰기

case 2 제시문 〈가〉에 나오는 글을 바탕으로, 제시문 〈나〉의 상황에서 필요한 것이 무엇인지 자신의 생각을 논술하시오. (600자 내외)

가 우리는 어떤 사람이 단지 자기주장만 하거나 제멋대로 행동하지 않고, 적절한 이유를 대가며 남을 설득하려고 할 때 합리적이라고 해요. 다시 말해 다른 사람과 대화할 때 아무런 이유도 대지 않으면서 이렇게 해라 저렇게 해라 명령만 하거나 자기주장만 반복하는 사람은 이치에 맞게 행동하는 사람이 아니라는 겁니다. 자신이 왜 그렇게 생각하는지 차근차근 설명하고 설득하는 것이 이치에 맞는 행동입니다. 이렇게 하는 이유는 사람들 사이에 합의를 도출해서 갈등을 막기 위함입니다. (……)

하버마스는 이렇게 자신이 왜 그렇게 생각하는지, 왜 우리가 그렇게 해야 하는지 그 이유를 설명하면서 다른 사람을 설득하려는 방식을 '의사소통적 합리성'이라고 합니다.

— 《하버마스가 들려주는 의사소통 이야기》 중에서

나 말싸움은 전체를 못 보기 때문이다(辯也者, 有不見也)

"내가 그대와 논쟁을 한다고 하자. 그리고 그대가 나를 이겼다고 하자. 그럼 그대 말이 맞고 내 말이 틀린 셈인가? 그 반대로 내가 그대를 이겼다고 하자. 그럼 내 말이 맞고 그대 말은 틀린 셈인가? 우리 두 사람의 말이 모두 맞을 수도 있고, 모두 틀

릴 수도 있다. 왜냐하면 그대와 나는 모두 선입관에 가려 있으므로 상대방의 생각

을 100% 알 수 없기 때문이다."

— 장자, 〈제물론〉 중에서

생각 쓰기

----

case 3 제시문 〈가〉와 〈나〉는 개인적 이익을 넘어선 공공(公共)의 이익을 위해 필요한 시민의 행동을 상반되게 보여주는 사례이다. 제시문 〈다〉를 바탕으로, 사회 구성원인 시민으로서 어떤 역할을 해야 하는지 논술하시오. (600자 내외)

가 2000년 6월 5일, "멸종 위기의 동식물을 보호하고 생태계를 보존하기 위해 동강 댐 건설을 백지화하겠다"라는 대통령의 발표가 있자마자, 세계 환경의 날 기념식이 진행 중이던 세종 문화 회관 안은 떠나갈 듯한 환호와 박수로 가득 찼다. 동강 댐 백지화를 기뻐하는 국민의 환호성은 전국에 울려 저치고 있다. 동강 댐 백지화는 시민들의 승리이다. 영월 동강이 지닌 천혜의 비경과 희귀 동식물을 후손에게 길이 물려주기 위한 시민운동은, 영월 주민들로부터 시작해서, 환경단체, 종교계, 문화·예술계, 학계로 확산되었고, 그린피스 같은 국제 환경 단체들의 동참으로까지 이어졌다.

― 중학교 《도덕 2》 중에서

나 오늘은 국회의원을 뽑는 날이다. 우리 가족은 아침부터 등산 갈 준비를 하느라 바빴다. 나는 겨우 옷을 챙겨 입고 부모님을 따라 서둘러 집을 나섰다. 투표소로 가서야 할 부모님께서는 그 반대 방향인 지하철로 향하셨다. 그래서 나는 아버지께 "투표 안하세요?"라고 여쭈었다. 아버지께서는 "나 한 사람이 투표를 하든 안 하든 선거 결과에는 아무런 영향이 없단다. 게다가 나는 지지하고 싶은 후보도 없기 때문에 안 할 것이다"라고 말씀하셨다.

― 중학교 《도덕 2》 중에서

다 사람은 토론에 참여할 수 있는 능력을 지니고 있다. 이 점에서 사람은 누구나 홀로 서 있으면서도 의사소통의 구성원으로 존재한다. 이것이 '이상적인 의사소통 공동체'가 의미하는 바이다. 토론과 여론의 참여자들에게 요구되는 합의는 현실적 공동체의 경계를 넘어서야 도달할 수 있다. 그럼에도 불구하고 서로에 속하여 있음에서 오는 그들의 사회적 유대감은 이런 과정 속에서 손상되지 않고 유지된다. 토론 과정에 의해 합의가 가능하다는 사실은 다음 두 사항에 의거한다. 하나는 '예' 또는 '아니오'를 말할 수 있는 남에게 넘겨줄 수 없는 개인의 권리이고, 다른 하나는 자신의 자기중심적 관점을 극복할 수 있는 가능성이다.

— 하버마스, 《도덕적 의식과 의사소통적 행위》 중에서

생각 쓰기

생각 쓰기

실 전 논 술

예시 답안

case 1 제시문 〈가〉에 나오는 것과 같이 인간이 살아가는 데 있어서 추구해야 하는 중요한 가치가 있다. 도구적 가치와 본래적 가치가 바로 그것인데, 도구적 가치는 목적을 달성하기 위한 수단을 선택하는 것이다. 본래적 가치는 도구적 가치로 선택한 수단을 통해 이루려는 목적이 무엇인지를 반성해볼 수 있는 가치이다. 두 가치 모두 다 중요하지만, 본래적 가치가 제대로 서야지만, 그에 합당한 도구적 가치를 찾을 수 있을 것이다.

제시문 〈나〉에 나오는 '허그'라는 베개는 유익한 도구이다. 멀리 떨어진 가족들을 대신 느낄 수 있기 때문이다. 하지만, 이 도구의 본래적 가치가 무엇인지를 생각해보면, 안타까울 따름이다. 사람과 사람은 서로 함께 정을 나누고, 얼굴을 맞대고 대화를 하면서 살아가야 한다. 가족이라면 더 가깝게 애정을 나누어야 하는 관계이다. 그런데 바쁜 일상 때문에 우리는 살아가는 목적 중 하나인 사람들 간의 애정, 가족들 간의 애정을 잊어버리고 미뤄 두면서 살아간다. 급기야 '허그'와 같은 도구가 생겨난 것이다. 이런 점을 극복하기 위해서 필요한 것은 하버마스가 말한 것과 같이 무엇을 위해 도구를 만들고 선택하느냐이다. 목적에 대한 깊은 질문 없이, 유용한 도구만을 만들어 낸다면 사람들이 살아가는 이 세계는 삭막해질 뿐이다.

서로 다른 의견과 세계관을 가진 사람들이 공통의 문제에 대해 토론을 할 때, 쉽게 합의에 이르지 못한다. 〈가〉에 나오는 것처럼 자기의 주장만을 내세우지 않고, 타당한 이유를 통해 상대를 설득하는 것이 합리적이지만, 결코 쉬운 것은 아니다. 왜냐하면 〈나〉의 글처럼 사람들은 서로 각자의 이익을 추구하고, 서로에 대한 선입견을 가지고 있기 때문이다. 또한 이기기 위해서 하는 토론, 즉 자신이 내세우는 주장의 우월성만을 고집할 때, 그것은 토론이 아니라 말싸움일 뿐이며, 결코 제대로 된 의사소통이라고 볼 수는 없다.

그렇다고 해서, 너도 옳고 나도 옳다는 식으로 토론의 결론을 내려서는 안 된다. 만일, 〈나〉 글처럼 누구나 옳다고 혹은 누구나 옳지 않으니 그것으로 끝이라고 해 버리면, 어떤 문제도 해결할 수 없을 것이다. 그렇다면 이 사회는 결국 힘 있는 사람의 의견대로 나아갈 수밖에 없다. 어려운 일이지만, 하버마스가 주장하는 것과 같이 합리적인 의사소통이 필요한 이유가 바로 이것이다. 개인적인 감정이나 욕심 때문에 제대로 상대를 이해하지 못하거나 토론을 통한 합의가 어렵다고 해서 포기할 것이 아니라, 어렵더라도 그 과정들을 통해 합리적인 결론에 도달해야만 한다. 결국 그 결론에 따라 사회는 나아갈 것이고, 그 사회 속에서 살아가는 것은 바로 나 자신을 포함한 개인들이기 때문이다.

오늘날 우리 사회에는 수많은 시민단체들이 있고, 공공의 목적을 위해서 열심히 활동을 한다. 물론, 몇몇 시민단체들은 집단의 이익을 위해서만 일하기 때문에 문제가 되기도 한다. '집단 이기주의'라고 부르는 이런 부정적인 시민단체들을 제외한다면, 우리 사회에서 긍정적인 역할을 담당하는 시민단체들이 더 많을 것이다. 〈가〉와 같이 더 깨끗하고 아름다운 환경을 위해서 노력하는 시민단체들이 그 예이다. 동강 댐이 건설된다고 해서 자신에게 당장 이익이 되는 것도 아닌데도, 수많은 사람들이 열심히 노력한다. 자신이 속해 있는 사회의 올바른 방향과 미래를 위해서이다. 반면, 〈나〉에 나오는 것과 같이 이기적인 개인들도 많다. 정치를 욕하고, 정부의 활동에 짜증을 내면서도 막상 자신에게 주어진 의무와 권리는 너무나 쉽게 포기해 버리는 것이다. 자신의 한 표가 별로 중요하지 않을 것이라고 하면서 말이다. 그러나 이런 사람들이 모여서 다수를 이루게 된다면, 이 사회는 힘을 가진 몇몇 사람들의 이익에 따라 나아갈 수밖에 없다.

〈다〉에서 나오는 것처럼 우리는 공동체의 이상을 항상 잊어서는 안 된다. 동시에 나와 다른 의견을 가진 사람일지라도, 똑같은 공동체의 구성원이라는 연대감도 놓쳐서는 안 된다. 자신의 권리를 마음대로 포기하지 않고, 자신의 이익만을 위해서 행동하지 않을 때, 내가 살아가는 이 사회는 훨씬 합리적인 사회가 될 것이다.

Abitur

철학자가 들려주는 철학이야기 074

오 스트라우스가 들려주는 정치 이야기

저자_**정명환**

연세대학교 경제학과를 졸업하고 종로학원 강사로 활동하고 있다. 저서로는
《새로운 언어 시작하기》,《언어와 논술의 만남》,《뻔뻔통합수리논술》(감수)
등이 있다.

배경 지식 넓히기

Leo Strauss

레오 스트라우스와
'정치'

레오 스트라우스 주요 개념

1. 레오 스트라우스를 만나다

1) 레오 스트라우스는 어떤 시대를 살았나

레오 스트라우스는 독일 헤센 주의 키르히하인이라는 소도시에서 태어났다. 함부르크 대학에 입학하여 철학자 에른스트 카시러 아래에서 공부를 하였다. 미국으로 가서 정치학을 강의하며, 시카고 대학에서 정치철학 교수로 재직하였다.

철학은 문화철학, 역사철학, 사회철학, 과학철학, 심리철학 등 학문 분과에 따라 나누어진다. 레오 스트라우스가 연구를 한 철학은 정치철학이다. 그렇다면 정치철학이란 무엇일까? 레오 스트라우스는 1959년, 《정치철학이란 무엇인가?(What is Political Philosophy?)》라는 책을 출간하였다.

레오 스트라우스는 "인간은 정치적 동물이다"라는 아리스토텔레스의 말을 적극적으로 받아들였다.

'정치'라고 하면, 국회의사당에서 국회의원들이 종이를 집어 던지고 몸싸움을 하는 장면을 생각할 수 있다. 혹은 선거를 통해 대통령을 뽑는 장명을 떠올릴 수도 있다. 그러나 여기에서 말하는 정치는 사회 제도, 법, 사회 공동체 속의 의사소통, 결정권, 합의 과정 등을 모두 말한다. 즉 사회 공동체 속에서 살아가는 인간이 가장 잘 사는 방법을 추구하는 것이 정치이다.

정치철학은 정치를 하고 있는 사회 현상에 대한 의견을 체계화된 지식으로 설명할 수 있도록 하는 시도이다. 그래서 철학적 사유 영역과 정치적 사회 현상의 긴밀한 관계를 분석하고 연구한다.

레오 스트라우스가 독일에서 철학을 전공하던 당시는 나치즘이 일어나 많은 유대인들이 박해를 받았던 때였다. 레오 스트라우스는 민주주의와 자유주의가 결국 근대 허무주의를 낳았다고 생각하여 히틀러의 나치 운동에는 호의적이었다. 합법적인 총선으로 당선된 히틀러는 독일이 경제대공황에서 벗어나도록 하였고, 많은 실업자들을 구해 주었으며, 군사력까지 강화하였기 때문이다. 물론 히틀러의 독재정권 과정과 그 결과가 600만 유대인 학살이라는 끔찍한 결과를 낳기는 했지만 히틀러 집권 초기에는 철학자 하이데거도 동조하였다. 하지만 하이데거 아래에서 공부했던 레오 스트라우스는 직접 나

유대인이 뭐지?
레오 스트라우스는 독일에서 태어났지만 유대인이다. 유대인은 보통 이스라엘인이라고 부르는데, 팔레스타인 외곽 지역에 살면서 유대교를 믿고 그들의 관습을 지켜오던 사람들이다. 세계 각지에 분포되어 있으며 국가를 가진 민족이 아니라 언어, 문화, 종교 그리고 스스로 유대인이라고 생각하는 사람들이다.

치 운동에 참여하지는 못했다. 왜냐하면 레오 스트라우스 자신이 유대인이어서 박해를 받을 가능성이 아주 컸기 때문이다.

영국에 있다가 미국으로 건너가 시카고 대학의 교수가 된 레오 스트라우스는 그곳에서 자신의 정치철학을 널리 퍼뜨린다. 그는 고대 그리스 정치를 본받아야 한다고 보고, 현명하지 못한 많은 시민들을 다스리기 위해서는 지혜로운 철학자가 정치를 해야 한다고 하였다. 이는 플라톤의 정치철학과 맞물리는 부분으로, 레오 스트라우스가 고대 그리스 정치를 이상으로 삼고 있음을 잘 나타내고 있다.

히틀러가 안티 유대인 카페 회장이라고?

1934년 총선을 통해 히틀러가 독일 수상이 되면서 반(反)유대인 운동이 거세게 일어났다. 그렇다면 도대체 왜 히틀러는 유대인들을 학살하였던 것일까?

떠도는 소문 같은 이유들은 많지만 가장 확실한 것은 당시 유럽 전체 사회에서 유대인은 왕따였기 때문이다. 유대인에 대한 인종차별과 편견은 이미 유럽사회에 널리 퍼져 있었다. 독일은 제1차 세계대전에서 패하고 사회경제적, 심리적으로 큰 어려움을 겪고 있었다. 그러나 유대인들은 고리대 등 법의 그물망을 피해서 많은 돈을 축적하고 있었다. 경제적으로 어려움을 겪고 있던 독일인들에게 반(反)유대인 감정은 손쉽게 먹힐 수 있었다. 히틀러가 정권을 유지하기 위해서는 독일인들을 한꺼번에 선동할 수 있는 캐치프레이즈와 슬로건이 필요하였고, 이것이 유대인 학살로 이어졌다. 즉 히틀러가 독일인을 선동하기 위한 목적과 독일인에게 내재되어 있던 반(反)유대인 감정, 민족주의가 결합한 것이다.

레오 스트라우스가 이라크 전쟁을 일으켰다고?

미국 부시 정권이 2003년 이라크를 침공하였을 때, 학계와 정치계에 갑자기 레오 스트라우스 바람이 불기 시작했다. 바로 부시 정권의 신(新)보수주의 사상 배경이 레오 스트라우스의 정치철학에서 나왔다는 주장 때문이었다. 레오 스트라우스의 제자가 미국 신(新)보수주의파의 수뇌로 등장하였다.

신(新)보수주의가 레오 스트라우스의 정치철학에서 어느 정도 영향을 받았을 수는 있으나 레오 스트라우스가 미국 신(新)보수주의에 사상을 주입시켰고, 이라크 전쟁을 일으키게 한 결정적 원인이라는 주장은 상당히 비약된 것이다. 이렇게 비약된 이유는 레오 스트라우스의 정치철학이 '정의는 엘리트(강자)의 이익을 대변한다' 는 것을 시민들이 모르게 도덕과 종교로 포장해야 한다고 해석했기 때문이다. 그래서 미국의 신(新)보수주의자들은 이라크를 침공할 때 '이라크의 자유와 민주주의를 깨우쳐 주기 위해서' 라는 명분을 내세웠다.

위와 같은 인식이 널리 퍼지게 되자 레오 스트라우스의 딸인 제니 스트라우스 클레이가 2003년에 반론 인터뷰를 하기도 했다. 아버지 레오 스트라우스가 자유민주주의의 신봉자이긴 했으나 그것이 가지고 있는 단점은 정확히 지적하였으며 미국의 신(新)보수주의자들의 사상과 다르다는 것이었다. 또한 아버지는 정치가가 아니라 교직자이며 학생들이 세상을 올바로 볼 수 있도록 도움을 주었다고 하였다.

2) 소크라테스와 플라톤, 아리스토텔레스는 민주주의 정치에 대해 어떻게 생각했을까?

레오 스트라우스의 사상적 배경이 된 철학자들은 소크라테스와 플라톤, 아리스토텔레스이다. 따라서 이들이 민주주의 정치에 대해 어떻게 생각했는지를 알아보는 것이 레오 스트라우스를 이해하는 데 도움이 될 것이다. 이들이 민주주의 정치에 대해 어떻게 생각했는지 알아보도록 하자.

'악법도 법이다' 로 유명한 소크라테스와 '이데아' 를 주장했던 플라톤, '인간은 정치적 동물' 이라고 주장했던 아리스토텔레스는 모두 폴리스가 모여 이루어진 국가 형태로 운영되던 고대 그리스의 철학자였다.

폴리스는 오늘날 도시 국가라고 번역이 되지만 우리가 떠올리는 도시 국가의 모습과는 많은 차이가 있다. 첫째는 인구수가 늘어남에 따라 현대사회가 고대보다 크고 복잡해졌다는 것이 있고, 둘째는 시민으로 인정되는 범위가 다르다는 것이 있다. 오늘날에는 남녀노소, 지위의 높고 낮음을 막론하고 누구나 시민권을 가지지만, 소크라테스나 플라톤, 아리스토텔레스가 살았던 고대 그리스 아테네에서는 여자와 외국인, 노예를 제외한 성인 남성만이 시민으로 인정받았다.

아테네는 폴리스 중 민주주의가 가장 발달했던 도시로, 시민 모두가 직접적으로 의사결정에 참여하는 직접민주주의 체제를 사용했다. 그럼에도 불구하고 위와 같은 제한 때문에 전체 인구의 14%만이 정치에 참여할 수 있었다. 아테네의 전체 인구는 20만 명이었는데 이들 중 시민은 약 3만 5천 명에 불과했고, 다시 이들 중 5백 명을 뽑아 평의원을 구성하였다. 이들은 1년을 10단위로 나누어, 돌아가며 의원직 활동을 하였다. 모든 시민은 평생 동안 2번만 평의회에 참가할 수 있었다.

이것은 우리가 생각하는 민주주의와는 다소 차이가 있지만, 일단 시민으로 인정만 된다면 동등하게 자기 의견을 내세울 수 있다는 점에서 기본적으로 추구하는 바는 같았다고 볼 수도 있다. 오늘날의 사회는 규모가 너무 크고 복잡하기 때문에 대개 대표자를 선출하여 결정권을 위임하는 대의민주주의(간접민주주의)를 채택하고 있다.

소크라테스와 플라톤은 민주주의 정치에 반대하는 입장이었다. 이들은 공통적으로 민주주의 정치에 대해 다수의 어리석은 판단으로 인해 소수의 현명한 판단이 묵살될 위험이 있다고 보았다. 그러한 우둔한 정치를 중우정이라고 한다. 아리스토텔레스는 민주주의에 굳이 반대하지는 않지만, 모든 공동체에 민주주의가 합당하다는 입장도 아니었다.

모든 문제를 무조건적으로 다수의 의견에 따라 결정하는 것이 옳은 것만은 아니다. 현실적으로 보면 모든 사람이 높은 정치적 소양을 가지고 있는 것은 아니다. 그러므로 때론 정치 능력이 탁월한 소수의 판단을 따르는 것이 보다 현명한 선택인 경우도 있다. 그렇다면 현명한 판단의 기준은 무엇이고, 왜 다수의 판단이 현명하지 못할 수도 있는 것일까?

플라톤은 진리의 세계인 이데아만이 참되고 선한 기준이 될 수 있다고 생각하였다. 우리가 사는 현실 세계는 이데아의 그림자가 아른거리는 동굴 속이다. 동굴 밖으로 나가 이데아의 세계를 발견하려면 철학함을 통해 깨달음을 얻어야 한다. 철학자들은 누구보다 먼저 이 깨달음을 얻고 다른 무지한 이들을 진리의 세계로 인도할 수 있다. 그리고 그것이 바로 철학자의 역할이라 여긴 플라톤은 자신의 저서 《국가론》에서 철학자가 정치를 해야 한다는 철인정치를 주장하였다.

아리스토텔레스는 보다 구체적으로 정의 문제를 고민하였다. 그는 사회를 이루고 살아가는 것이 인간의 자연적인 본성이라 여겼고, 그러한 인간이 가진 도덕성, 즉 덕에 근거하여 나라를 다스리는 덕치를 주장하였다.

덕치가 잘 이루어지려면 정의가 지켜져야 한다. 정의는 모든 이에게 고루 적용되는 형평성에 근거한다. 이는 모든 상황에 모든 사람을 똑같이 적용한다는 것이 아니라, 부자에겐 높은 세금을, 가난한 자에겐 낮은 세금을 적용하는 것처럼 각 구성원이 처한 현실과 상황에 맞게 공평한 대우를 하는 것을 말한다. 만약 법이 형평성의 원리를 따라가지 못한다면 법을 바꾸어서라도 강제로 형평성을 지켜주는 것이 현명한 정치이다. 그것이 바로 덕치를 실현하는 통치자의 역할인 것이다.

정의에는 교환적 정의와 배분적 정의, 두 가지가 있는데, 문제가 생길 때 이 두 가지 중 어느 것을 적용해야 하는지 잘 구분해야 한다. 사람들끼리 물건을 사고파는 등의 교환 행위를 할 때 한 쪽만 이익을 보거나 손해를 보는 불평등을 막는 것이 교환적 정의이다.

배분적 정의는 교환적 정의를 제외한 모든 정의 문제라고 볼 수 있는데, 전체 사회와 구성원들 간에 발생하는 부와 명예 등의 문제에 적용된다. 예를 들어 국가 유공자에게 합당한 혜택이나 대우를 해 주지 않는 것도 배분적 정의에 위반되고, 교통신호를 지키지 않고 무단횡단을 하는 것도 사회적인 합의에 따르지 않는 것이므로 배분적 정의에 위반된다.

그렇다면 아리스토텔레스는 개인의 이익과 공공의 이익 중 무엇을 더 중요하게 여겼을까? 그는 '인간은 정치적인 동물'이라고 하였다. 그가 살았던 시대적 상황에 맞게 보자면 '인간은 폴리스적인 동물'이다. 이것은 공동체를 이루며 살아가는 것이 인간의 최상의 목표라는 뜻을 담고 있다. 따라서 그는 개인의 이익보다 공동체의 이익을 우선시하였음을 알 수 있다.

어찌 보면 아리스토텔레스는 정치 형태보다 사회라는 공동체 자체를 중요시한 사상가였다. 민주정이든 군주정이든 귀족정이든 심지어 1인 독재 체제든, 그는 사회 구성원들의 성격이나 특성에 따라 공동체를 유지하기 가장 좋은 체제로 가면 된다고 생각했던 것이다. 그것이 바로 레짐이라는 개념이다. 아리스토텔레스의 목적은 오직 하나, 공동체적인 삶에 있었다.

'악법도 법이다'의 진실 혹은 거짓?

소크라테스가 사형선고를 받았을 때, 도망치라는 주위의 권유를 뿌리치며 한 '악법도 법이다'라는 말을 둘러싼 학계 의견이 분분하다. 법의 절대성을 뜻한다는 주장이 정설로 통용되고 있긴 하지만, 최근엔 소크라테스가 폴리스의 실정법을 비꼬아 말한 반어적 표현이라는 주장도 설득력을 얻고 있다.

사실 '악법도 법이다'는 소크라테스가 한 말이 아니라 우리나라에 번역되어 들어오는 과정에서 만들어진 문장이다. 이 말의 어원을 더듬어 가 보면, 2세기경 로마 법률가 도미누스 울피아누스(Dominus Ulpianus)의 저서에서 비슷한 문장을 찾을 수 있다.

Hoc quod quidem perquam durum est, sed ita lex a est(호크 쿠오드 퀴뎀 두룸 에스트, 세드 이타 렉스 스크립타 에스트 : 이것은 진실로 지나치게 심하다. 그러나 그게 바로 기록된 법이다.)

위의 긴 문장을 인용하기 좋게 줄인 것이 'Dura lex, Sed lex(두라 렉스, 세드 렉스:법이 지독해도, 그래도 법이다)'인데, 이것이 일제 강점기에 일본 학자의 번역본을 통해 우리나라에 소개되면서 '악법도 법이다'란 문장으로 왜곡되었다는 주장이 있다. 또한 독재 정권 시기에 국민들이 정부 정책에 따르게 하기 위해 본뜻과 다르게 법을 절대적으로 따라야 한다는 의미로 쓰이기 시작했다는 주장도 있다. 어느 것이 사실인지에 대해서는 논란이 계속되고 있다.

2. 교과서 속에서 만난 소크라테스

    레오 스트라우스는 자신의 정치철학 이론을 세우면서 고대 그리스의 철학자 소크라테스의 사상을 밑바탕으로 삼았다. 따라서 소크라테스의 사상을 살펴보는 것도 레오 스트라우스의 이론을 이해하는 한 가지 방법이 될 것이다.

    초등학교 교과서에서는 소크라테스의 사상을 어떻게 설명하고 있는지 살펴보기로 하자.

    소크라테스는 감옥에 갇혀서 사형을 기다리게 되었다. 소크라테스의 친구들은, 소크라테스가 억울하게 누명을 쓰고 감옥에 갇혔고 그대로 두면 사형을 당할 것이므로 탈출시키기로 계획하였다.

    소크라테스의 친구 크리톤이 감옥으로 소크라테스를 찾아가, 탈출할 것을 권했다.

    크리톤의 말을 들은 소크라테스는 이렇게 말했다.

    "훌륭한 시민은 불의를 행해서는 안 되며, 남을 해쳐서도 안 되네. 그리고 국가와 시민 사이에는 반드시 서로 지켜야 할 약속이 있네. 그런데 이제 와서 내게 불리하다고 해서 탈주를 하면, 그것은 스스로 국가와 한 약속을 깨는 것이네. 따라서 그것은 불의를 행하는 것이며, 결국 국가를 해치는 결과가 되는 것이네. 만일, 모든 사람이 자신에게 유리할 때에는 국가에서 살다가, 국가가 시민에게 법에 따라 벌을 주려고 할 때에는 탈출하려 한다면, 우리의 조국은 어떻게 되겠는가? 그리고 누가 우리의 조국을 지키겠는가? 우리를 낳아 주고 길러 준 것은 조국이므로 조국에 대해 항상 존경하고 순종하여야 한다네. 이런 까닭으로 나는 법에 따라 재판을 받았고, 그것이 나의 목숨을 빼앗아 가는 것일지라도 지켜야 하는 것이네. 나에게 사형을 선고한 이 법이 정당하지는 않지만, 그렇다고 그 법을 어길 수는 없다네."

이렇게 크라테스는 크리톤의 탈출 권유를 거절하였다. 더 이상 소크라테스에게 탈출을 권유할 수 없었던 크리톤은 소크라테스가 탈출하지 않는 까닭이 법의 존중 정신뿐만 아니라, 법을 지킴으로써 사랑하는 조국 아테네를 더욱 굳건히 지키겠다는 의지에 있음을 알고 커다란 감동을 받았다. 크리톤은 아무 말 없이 소크라테스의 손을 꼭 잡은 채 한참을 서 있다가, 눈물을 감추며 감옥을 빠져 나왔다.

— 초등학교 《도덕 6》 중에서

초등학교 6학년 도덕 교과서에는 '법을 존중한 소크라테스' 라는 주제로 소크라테스의 사상을 설명하고 있다. 소크라테스의 제자 플라톤이 쓴 책들을 바탕으로 소크라테스가 고발되어 죽음에 이르기까지의 과정이 그려지고 있다.

우선 소크라테스는 진리를 사랑할 줄 모르고 이익에 눈이 어두운 정치가와 선동가들에 의해 '아테네의 젊은이들을 타락시키고, 나라에서 인정하는 신을 믿지 않고 새로운 신을 믿었다'는 구실로 고발당했고, 재판을 받은 끝에 사형 선고를 받았다.

실제로 소크라테스는 아테네를 사랑해 직접 전쟁에 세 번이나 참가한 용감한 사람이었다. 또한 아고라 광장에서 젊은이들을 만나고 당대의 현명한 사람들을 찾아가 이야기 나누기를 즐긴, 진리를 무엇보다도 사랑한 사람이기도 했다.

중학교 1학년 도덕 교과서에서는 이러한 삶의 자세를 다음과 같은 소크라테스의 말을 통해 요약하고 있다.

"사는 것이 중요한 문제가 아니고, 바르게 사는 것이 중요한 문제이다."

3. 기출 문제에서 만난 아테네의 선거 방식

2005학년도 건국대학교 정시 논술고사는 돈을 뿌리는 부정 선거와 비방 및 인신공격을 일삼는 혼탁한 부패 선거에 대해 고대 그리스에서 행해진 '추첨' 방식이 대안이 될 수 있는지에 대하여 묻고 있다.

버나드 마넹이 쓴《선거는 민주적인가》에서 인용된 제시문은 아테네에서 추첨을 통해 선출된 시민들이 정치를 담당하는 사례를 말하고 있다. 아테네 행정부를 구성했던 700명 가량의 행정직 중에서 600명 정도가 추첨을 통해 충원되었다. 그럼에도 불구하고 아테네 정치체제는 시민들이 미숙하다거나 무능력하다고 판단한 행정관의 선출을 방지하는 제도적 장치를 가지고 있었다. 우선 행정관은 언제나 민회와 시민법정의 감시를 받았다. 임기가 끝나면 결산 보고서를 제출해야 했으며, 임기 중에도 시민들이 그들에게 책임을 물을 수 있었고 직무 정지를 요구할 수 있었다.

건국대학교 측이 제시한 예시 답안을 보면 대안으로서 추첨 제도를 긍정하는가, 부정하는가의 여부는 평가의 대상이 되지 않는다. 두 가지 방향의 서술이 모두 가능하다. 중요한 것은 적절하고 충실한 근거에 입각하여 주장을 합리적으로 펼치는 데 있다. 이와 함께 자신의 입장과는 다른 입장에 대한 적절한 비판을 제시하는 것이 바람직하다.

예를 들어 추첨 방식을 긍정적으로 볼 경우는 후보자의 자격 요건에 대한 적절한 심사(납세의무 이행, 범죄 전력 여부, 병역의무의 이행 등)를 거침으로써, 또한 그 책임과 의무를 명확히 하고 직무에 대한 평가를 엄격히 수행한다는 전제 하에서 추첨 방식을 실시할 수 있을 것이다.

추첨 방식을 부정적으로 볼 경우는 무엇보다도 무능력한 사람이 선택될 수 있다는 점을 지적할 수 있다. 또한 현대의 상황이 고대 그리스와는 달리 복잡하고 다양한 사회임을 지적하면서 현대의 사회정치적 상황을 고려한 보완적 적용이 필요하다는 점을 언급할 수 있다. 부정, 부패 선거가 행해진 때는 민주주의가 이제 막 도입된 초기 민주주의 사회이므로, 선거의 문제점은 사회가 성숙되면 개선해 나갈 수 있는 가능성이 있다. 무엇보다 그 제도를 통해 민주적 대의정치의 원만하고 안정적인 운용이 이루어져 왔다는 사실을 가볍게 볼 일이 아니다. 만약 그것을 하루아침에 추첨과 같은 다른 제도로 대신한다면 오히려 더 큰 혼란과 부작용이 생긴다는 점도 언급할 수 있다.

논술 문제

case 1 다음 제시문 (가)를 통해 레짐이 무엇이고 어떠한 것들이 있는지 파악한 후 (나)와 (다)의 내용에 합의한 공동체에 적합한 레짐이 무엇인지 비교하시오.

가 "우선은 정치체가 무엇인지 알아야 할 것 같구나. 정치체라는 것은 시민사회 혹은 시민공동체에서 나온 말인데 레짐(Regime)이라 부르기도 한단다. 레짐은 인간의 훌륭한 삶이 무엇인가에 대한 시민들의 합의로 이루어지지."

"시민들이 합의를 하는 거라고요?"

"그래. 다시 말해 인간이 정의롭게 살아가기 위해서 한 집단이 어떻게 운영되어야 하는가가 바로 레짐이라고 할 수 있어."

"아, 그렇구나. 그렇다면 민주 정치체나 군주 정치체는 레짐의 한 종류가 되겠네요?"

"그렇지. 레짐은 누가 통치를 하느냐, 무엇에 근거해서 통치를 하느냐에 따라 여러 가지로 나눌 수 있어. 먼저 군주 정치체와 참주 정치체는 왕과 같은 지배자가 통치하는 건데 성격이 달라."

"제일 위에 지배자가 있고, 통치하는데 어떻게 다를 수가 있어요?"

"군주 정치체는 법에 의해서 지배되는 반면 참주 정치체는 지배자의 마음대로 통치되는 것이야. 또 귀족 정치체와 과두 정치체는 소수의 지배자가 통치하는 것인데, 귀족 정치체는 법에 의해서, 과두 정치체는 지배자의 마음대로 통치되는 것이란다."

나는 아빠의 말씀을 듣고 다른 방식으로 통치되는 나라가 있다는 사실을 처음 알게 되었어요. 그동안 나는 우리나라처럼 모든 나라들이 다 민주 정치를 하고 있는 줄 알았거든요. 아빠는 영국을 비롯해서 네덜란드, 스웨덴, 덴마크, 노르웨이, 벨기에, 룩셈부르크, 스페인 등의 나라에는 아직도 군주 정치체의 잔재가 남아 있다고 하셨어요.

— 《레오 스트라우스가 들려주는 정치 이야기》 중에서

나 우리는 다음과 같은 명백한 진리를 믿는다. 즉 모든 사람은 평등하게 창조되었고, 남에게 양보할 수 없는 권리를 조물주로부터 받았는데, 그 중에 생명, 자유, 행복을 추구할 권리가 포함되어 있다. 이러한 권리를 확보하기 위해 사람들은 정부를 만드는데, 정부의 정당한 권력은 국민의 동의에 기초해야 한다. 어떤 형태의 정부라도 만일 이러한 목적을 파괴한다면, 그 정부를 개혁하거나 폐기하고, 국민의 안전과 행복을 위해 가장 적합한 원칙에 기초하여 새로운 정부를 수립하는 것이 국민의 권리이다.

— 미국 독립 선언 중에서

다 제1조 모든 인간은 태어나면서 자유롭고 평등한 권리를 가진다.

제2조 모든 정치적 결합의 목적은 자연권을 지키는 데 있으며, 자연권의 내용은 자유, 재산, 안전 및 압제에 대한 저항이다.

제4조 자유란 타인을 해치지 않는 일이면 무엇이든 할 수 있는 권리이며, 자유

의 한계는 오직 법으로만 정할 수 있다.

　제17조　재산권은 신성불가침의 권리로, 법으로 정한 공익을 위한 경우가 아니면 박탈당할 수 없다.

— 프랑스 혁명에서 발표된 인권 선언 중에서

생각 쓰기

생각 쓰기

다음 제시문을 읽고 물음에 답하시오.

가 흔히 민주 정치를 국민의 뜻에 따르는 여론 정치라고 한다. 사회의 어떤 현상이나 문제 또는 정부의 정책에 대하여 국민들의 의견이 어느 정도 모아져서 나타나는 것을 여론이라고 한다. 이런 여론이 순조롭게 형성되도록 하기 위하여 우리나라 헌법에서는 언론 · 출판 · 집회 · 결사의 자유를 보장하고 있다.

실생활에서 여론을 형성하는 데에는 텔레비전, 신문, 잡지, 라디오, 인터넷 등 대중 매체가 큰 역할을 하고 있다. 따라서 이러한 대중 매체들은 올바른 여론이 형성될 수 있도록 노력해야 하며, 어떤 특정한 개인이나 집단의 이익에 치우친 여론을 이끌어내서는 안 된다.

— 교육인적자원부 중학교 《사회 3》 중에서

나 촛불 집회의 진로에 대해선 아직 토론이 진행 중입니다. 오늘 각계 전문가들이 모였고 현재는 광우병 대책회의가 2차 논의를 벌이고 있습니다. 박경민 기자입니다. 참석자들은 촛불 집회가 애초 쇠고기 협상을 잘못한 정부에 대한 국민들의 불만 표출이라는 데 의견을 같이 했습니다. 하지만 그 순수성이 유지되고 있는지에 대해서는 크게 엇갈렸습니다.

조ㅇㅇ/△△대 사회학과 교수
"촛불 시위는 세계에서 유래를 찾아볼 수 없을 정도의 자율성과 자발성이 있다."

나ㅇㅇ/△△△당 의원

"초기 촛불 집회는 의미가 있었지만 변질됐다고 본다. 여러 세력이 가세하면서 정권 퇴진이라든가……."

이ㅇ/시민단체 대표

"초기 촛불 집회도 문화제라고 얘기는 하지만 야간 불법 집회가 확실하거든요."

— ㅇㅇㅇ **방송 뉴스 중에서**

다 사랑과 존경까지는 아니더라도 내가 어떻게 해야 우리 동아리를 잘 이끌어 나갈 수 있을까요?

"상민이가 자신의 이익이 아니라 동아리를 위해서 애썼다는 것은 대단하지만 우리와 의견을 나누지 않은 것은 단점이 될 수도 있어."

"네가 웬일이냐? 상민이를 흉볼 때도 있고."

"흉을 보는 게 아니야. 여러 사람들이 모인 공동체에서 가장 좋은 방법이 무엇인지 결정하는 것은 어렵다는 말이지. 현명한 지도자가 한 집단을 이끌어 나가는 것도 좋은 방법이지만 공동체 내의 모든 사람이 합의를 통해 문제를 해결해 나가는 것도 좋은 방법이거든."

— 《레오 스트라우스가 들려주는 정치 이야기》 중에서

1. 다음 제시문 (가)와 (나)를 읽고 대중매체에 따른 여론의 힘이 어떻게 변화하고 있는지 적어 보시오.

2. 다음 제시문 (나)에서 불거진 문제점이 무엇인지 파악하고, 제시문 (다)의 핵심내용을 응용하여 제시문 (나)의 문제점에 대한 해결 방안을 적어 보시오.

생각 쓰기

가 깊은 동굴이 있다. 그 동굴 속에는 사람들이 묶인 채, 동굴의 벽만 볼 수 있다. 동굴의 입구에는 불을 피워 놓아 동굴 사람들이나 동굴 안에 있는 물건들의 그림자가 벽에 아른거린다. 어릴 때부터 동굴 안에 묶인 채로 자랐던 사람은 사람도 물건도 제대로 본 적이 없다. 그래서 사람과 물건이 실제로 어떻게 생겼는지 전혀 모른다. 그들은 동굴 벽에 비친 그림자가 실제 모습이라고 생각한다. 그러던 어느 날 동굴 속에 묶여 지내던 한 사람이 동굴 밖으로 풀려나게 되고 동굴에서 나온 사람은 빛 때문에 눈이 부셔서 아무것도 볼 수 없다가 시간이 지나 동굴 밖의 모습을 하나하나 알아보게 된다. 그리고 그가 지금까지 보았던 그림자와 지금 그가 보고 있는 실제 물건을 하나하나 비교하게 된다. 동굴 밖을 관찰한 사람은 다시 동굴 안으로 돌아간다. 그는 동굴 안의 어둠에 다시 익숙해질 때까지 넘어지고 벽에 부딪히기도 하여 동굴 사람들에게 조롱을 받기도 한다. 동굴 안의 사람들은 밖에 나가는 일이 얼마나 어리석고 위험한 것인가를 생각하면서 만일 그가 인도하여 사람들을 밖으로 끌고 나가려 한다면 그를 죽이려고 할 것이다.

— 플라톤, 《국가》 중에서

나 한 텔레비전 프로그램 제목을 본떠 다음과 같이 물어보자. "한국 보수에는 노블리스 오블리제가 있다, 없다?" 헷갈리는 사람이 있겠지만, 답은 '없다'이다. 그렇다. 단연코 말하자면 우리에게 그런 것 따위는 없다. 이 나라의 도덕적 의무는 필부필부(匹夫匹婦)들의 몫이다. 규모가 크건 작건 사회적 기부를 하는 사람들은 거개가 푼푼이 돈을 아껴 모은 이들이기 십상이다. 김밥 장사 할머니가 장학금에 쓰라며 수억 원을 회사하고, 연말이면 구두닦이 부부가 이웃돕기 성금으로 적지 않은 돈을 쾌척한다. 적어도 내 기억으로는 가진 사람에게서 인간적 감동이 묻어날 만한 스토리는 찾아보기 어렵다. 우리에게는 만석꾼의 부를 누리면서도 사회적 의무를 다했다는 경주 최 부잣집의 사례가 있지 않으냐고 하겠지만, 그것은 옛날이야기일 뿐이다.

노블리스 오블리제
noblesse oblige
노블리스 오블리제란 사회 고위층 인사에게 요구되는 높은 수준의 도덕적 의무를 말한다. 이는 플라톤의 이상 국가에서 철학자이면서 수호자인 통치자 계급이 보여 주는 투철한 도덕 의식과 공공정신과 같은 것이다. 일상생활에서부터 국난에 이르기까지 앞장서서 시민들의 모범이 되고 시민들을 지켜내는 도덕의식과 희생정신은 사회 고위층으로 누리는 권력과 그에 대한 계층 간의 대립을 해결할 수 있는 최고의 수단이 될 수 있다.

— 박노승, '노블리스 오블리제' 가 없다, 경향신문, 2006년 2월 13일

다 소크라테스 : 그것은 즉 지혜를 구하는 자란, 바로 그 한 사람인 탈레스가 별에 대하여 관찰하면서 하늘만 쳐다보다가 우물에 빠져, 트라키아 시골여인에게 "당신은 열심히 하늘에 있는 것을 알려고 하지만, 당신 눈앞의 일이나, 발밑의 일에 대해서는 전혀 모르고 있군요" 하고 비웃음을 받았다는 바로 그 이야기의 주인공과 같은 자가 된다는 말이지요. 이와 같은 냉소는

지혜를 탐구하는 생활을 하는 모든 사람에게 해당되는 것입니다. 왜냐하면 실제로 철학하는 자들은, 이웃에 대하여 무슨 일을 하고 있는 사람인지 알기는커녕, 그들이 인간인지 또는 다른 가죽류인지조차도 거의 모르고 있으며, 관찰자인 이들이 알려고 열심히 연구하여 고심하는 것은, 오히려 인간이란 무엇인가? 또 인간의 본성에 속하는 것으로 작용을 하여 다른 것과 구별되는 것은 무엇인가, 하는 것입니다. 테오도로스, 당신은 물론 내 말이 무슨 뜻인지 알고 있겠죠. 아니면 모르고 있습니까?

테도로스 : 네, 알고 있습니다. 당신의 말에는 조금도 틀린 데가 없습니다.

— 플라톤, 《테아이테도스》 중에서

생각 쓰기

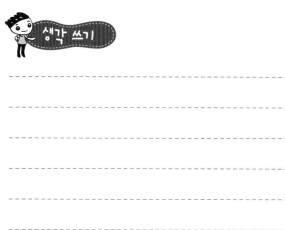

생각 쓰기

실 전 논 술

예시 답안

(나)와 (다)는 모두 개인의 자연권을 지키며 공동체를 유지해 나가기 위해 합의된 내용들을 담고 있다. (나)와 (다)는 공통적으로 개인의 자연권에 가장 우선적인 가치를 부여한다. 국가와 같은 공동체가 만들어진 것도, 타인의 자연권을 해치지 않으면서 자신의 자연권을 지키기 위한 개인들의 합의에서 비롯된 것이다.

(나)는 국민들 개개인의 권리가 정부라는 조직에 위임된 것이라는 사실을 강조하고 있다. 정부는 개인의 자연권을 평등하게 확보시켜 주기 위해 만들어진 기관이다. 정부의 모든 권력은 국민의 동의로부터 나오고, 정부가 이 역할을 못할 때엔 국민에 의해 개혁이나 폐기를 맞을 수도 있다. 반대로 말하면, 개개인의 권리를 양도받아 정부라는 권력기관이 국민들을 통치한다는 것에 합의한다는 것이다. 이 사회의 레짐은 대의민주공화정에 가깝다고 할 수 있다.

한편 (다)는 법적인 측면을 강조한다. 특히 제17조에서 재산권을 엄격한 권리로 인정하는 것은 자본주의적인 측면이다. 법 또한 사회적 합의의 산물이다. 하지만 (나)에서 혁명을 인정하는 것에 비해 (다)는 법을 절대적인 규범으로 삼고 있다. 따라서 (다) 사회의 레짐은 법치국가에 가깝다고 할 수 있다.

1. 오늘날 사람들이 접할 수 있는 대중매체는 다양해졌다. 그중 가장 빠른 파급 효과를 낳고 있는 것이 인터넷이다. 인터넷은 쌍방향 소통을 가지고 있고, 실시간 정보 검색과 정보 등록이 가능하며, 자신의 의사를 확실

히 표현할 수 있는 디지털 민주주의의 형태를 보여주고 있다. 인터넷 댓글과 게시물이 전국 시민들에게 소통의 장을 열어 주고, 그곳에서 촛불 집회의 장소와 날짜, 집회 성격을 정하면서 여론을 형성하였다. 제시문 (나)를 읽으면 알 수 있듯이 디지털 민주주의로 이루어진 초기의 촛불 집회는 합법성과 자율성, 참가자의 다양한 연령층, 젊어진 시각 등으로 신선함 그 자체였다. 그러나 디지털 여론이 거대해지면서 촛불 집회로 정권 자체를 뒤집으려는 시도가 일고 있다. 다수결의 원칙을 최선으로 생각하는 민주주의 사회에서 소수의 의견은 무시되기가 쉽다. 거대한 디지털 민주주의 앞에서 반대 혹은 소수의 목소리는 죄인으로 낙인이 찍히는 경우도 발생한다. 이는 보편적이라고 생각하는 특정한 인식이 여론을 형성하고 지배함으로써 잘못된 민주주의 결과를 낳을 수 있음을 보여 준다.

2. 제시문 (나)는 미국산 쇠고기 수입 반대를 위한 촛불 집회 규모가 커지면서 촛불 집회의 성격과 목적이 변해가는 것을 우려하여 논의하고 있다. 초기의 촛불 집회는 쇠고기 수입 협상을 제대로 하지 못한 현 정부를 비판하면서 협상을 중단할 것을 요구하였다. 그러나 현 정부를 비판하는 세력과 광우병 쇠고기 수입을 비판하는 세력으로 갈리면서 촛불 집회 방향을 결정할 시기가 온 것이다. 우리는 미국산 쇠고기 수입 협상을 놓고 국민의 안정을 위하여 적극적인 협상을 펼치지 못한 정부의 잘못된 태도를 지적할 수 있다. 정부의 지도자는 국민들의 생각과 여론을 충분히 수용한 후 미국과 협상을 하거나 국민들에게 정확하고 객관적인 자료를

주고 설득해야 했다. 그러나 둘 다 하지 못한 현 정부에 국민들은 분노를 하였고, 앞으로도 현 정부가 개선할 의지가 보이지 않는다면 국민들의 분노는 변함이 없을 것이다. 그리고 촛불 집회를 추진하고 있는 시위대도 내부에서 발생하는 여러 의견들을 조율하고 충분한 합의를 이끌어 낸 다음에 적극적이며 합법적인 촛불 집회를 해야 한다. 내부에서 불일치한 의견을 가지고 거리에 나서면 '정부 대 촛불'이 아니라 '촛불 대 촛불'로 변질될 수 있다. 정부든 촛불 시위대든 지도자들은 집단에 속한 사람들에게 의견을 개진할 수 있는 기회와 다양한 의견을 수렴하여 합의점을 찾을 수 있는 노력을 잊지 말아야 한다.

case 3 현실에서 트라키아 여인과 같은 '철인'에 대한 비웃음과 '철학적 삶의 불명예'를 어떻게 해결할 수 있을까? 플라톤이 제시한 도덕적이고 모범적인 삶에 대한 제시는 '철학적 삶의 불명예'를 극복할 수 있을까? 제시문 (가)의 '동굴의 비유'에서 보면, 그림자의 세계가 아닌 실제의 세계를 보고 돌아온 사람은 철인이 되어 다른 나머지 사람들에게 실제의 세계에 대하여 설명하려 하지만 그들은 여간해서는 이해하려 들지 않는다. 그러나 철인은 죽음을 무릅쓰고 다른 사람들을 설득하려 할 뿐 아니라, 금욕적인 삶의 모범을 보여 주며 정의롭게 국가를 통치하고자 한다. 그러나 플라톤이 '철학적 삶의 불명예'를 해결하도록 제시한 도덕적인 삶은 현실에서 여전히 트라키아 여인의 비웃음을 살 수 있다. 실제로 제시문 (나)의 글은 '노블리스 오블리제'라고 하는 사회 고위층 인사에게 요구되는 높은 수준의 도덕적 의무를 한국에서는 찾아 볼 수 없다'고 진단한다. 왜냐하면 한국에서 대부분의 사람들이 '도덕적인 삶'을 '가치 있는 삶'으로 여기지 않고 오히려 '약자의 삶'으로 인식하기 때문이다. 플라톤은 《국가》에서 철인을 부와 권력을 지닌 자로 서술하지 않는다. 이상 국가에서 그려지는 철학자이면서 수호자인 통치자 계급의 투철한 도덕적인 삶은 일상생활에서부터 전쟁에 이르기까지 앞장서서 시민들의 모범이 되고 시민들을 지켜내는 것이다. 플라톤이 수호자 계급에게 도덕의식과 희생정신을 요청한 이유는 그들이 누리는 권력과 그에 대한 대립을 사회적 통합으로 이끌 수 있기 때문이다. '철학적 삶의 불명예', 즉 '도덕적 삶의 불명예'를 해결하는 것은 바로 오늘날에 있어서 사회 고위층의 노블리스 오블리제 정신이라고 볼 수 있겠다.

철학자가 들려주는 철학이야기 075

한스 요나스가 들려주는 환경 이야기

저자_이지영

연세대학교 사회학과를 졸업하고, 연세대학교 대학원에서 사회학 석사 학위를 받았다. 이후 서울 주요 논술학원에서 인문계 논술강사로 활동하고 있으며, 〈박학천 아작 정시 논술〉, 〈박학천 아작 수시 논술〉, 〈한솔 M 플라톤 논술〉 시리즈 등 다수의 논술 교재를 집필했다.

Hans Jonas

한스 요나스와
'환경'

한스 요나스 주요 개념

1. 한스 요나스를 만나다

1) 한스 요나스 — 시대와 생애

한스 요나스(Hans Jonas, 1903~1993)는 유명한 독일의 생태철학자이다. 그의 대표적인 저서인 《책임의 원칙》은 생산력의 발달을 통해 유토피아를 건설하려고 했던 마르크스의 철학을 비판한다. 또한 근대 이후 인간의 이성과 합리성을 바탕으로 한 인간중심적 자연관이 가져온 환경파괴와 유토피아에 대한 신화 역시 비판하고 있다. 요나스는 이전 철학의 윤리의식을 비판하면서, 새로운 책임의 윤리를 제창한다. 요나스의 《책임의 원칙》은 철학 서적이지만, 대중적인 관심을 받고 있는 책이다.

요나스는 과학기술이 발달한 현대사회에서 진정으로 필요한 윤리학이 무엇인지 진지하게 묻고 있다. 인류가 그동안 발전시켜 온 과학기술이 오히려 인류를 비롯한 자연환경 전체를 치명적인 위험 속에 빠뜨리고 있다는 사실을 지적한다. 이러한 요나스의 철학은 현재 심각한 환경문제와 맞닥뜨린 인류에게 근본적이며 책임 있는 해결책을 제시하고 있다. 그는 '환경과 생명의 조화'라는 환경 철학을 내세우면서, "자연을 보호하고 지켜야 인간의 자유를 지키는 것이고, 그래야 인간에게 자유를 부여한 신(神)을 도울 수 있다"고 말한다.

2) 베이컨과 마르크스에 대한 요나스의 비판

인간이 자연 세계를 이해하는 것에서 벗어나 적극적으로 인간을 위해서 이용하기 시작한 것은 17세기부터라고 할 수 있다. 베이컨(F. Bacon, 1561~1626)은 "아는 것이 힘이다"라는 말을 통해 인간이 아는 것이 많아질수록 행복해진다고 주장했다. 자연에 대한 세심한 관찰과 주의 깊은 실험들, 그리고 거기에서 얻어낸 지식을 바탕으로 이제까지 인류가 경험한 불행들을 벗어나 행복한 미래를 얻을 수 있다는 것이다. 이러한 유토피아의 정신과 인간을 중심으로 자연을 정복하고 이용하는 것에 대한 믿음을 통해 오늘날과 같은 놀라운 기술의 발전이 가능해진 것이다. 한편, 인간에 의해 유토피아가 만들어질 수 있을 것이라는 믿음은 마르크스(K. Marx, 1818~1883)도 가지고 있었다. 그는 노동을 통해 계급 없는 사회를 만들려고 했다. 자본이 없는 계급은 열심히 일을 해도 정당한 임금을 얻지 못하고 오히려 자본가 계급을 위해 일하는 것일 뿐이기 때문에, 인간 사회는 계급이 없는 사회가 되어야 한다고 보았다. 노동이 정당한 대가로 돌아오는 사회, 계급이 없는 사회 즉, '공산주의 사회'가 되기 위해서는 열심히 일을 해야 한다. 노동을 통해 자연이 가공되고 변형되면서 인간의 진정한 본성이 실현되고 자유가 성취될 수 있다고 본 것이다. 그런데 인간이 일하는 것 즉 노동을 통해 유토피아를 건설하려는 마르크스의 철학은 한 가지 사실을 놓치고 있다. 즉, 인간을 위한 노동이 자연을 철저하게 파괴할 수도 있다는 사실이다.

요나스는 베이컨 이래로 진행되어 온 '인간중심주의'와 자연을 인간에게 맞게 변형시키는 '노동'에 대하여 강조한 마르크스의 철학을 비판하면서 다음과 같이 경고했다.

"그들이 얘기하는 과학기술의 진보라는 것이 향후 우리가 살고 있는 세상에서 유토피아가 도래할 것을 예고하는 것이 아니라 오히려 유토피아와 반대되는 세계(디스토피아)가 다가올 수 있다."

따라서 요나스는 막연한 '인간 중심'의 유토피아의 꿈을 접고 문화비판과 기술비판을 통하여 미래에 대한 올바른 관점을 가져야 한다고 본 것이다. 그러기 위해서는 현재 살아가고 있는 사람들뿐만 아니라 미래를 위한 윤리가 필요하다고 보았다.

3) 새로운 윤리학,《책임의 원칙》

요나스는 현재의 문제를 반성하고 미래를 위한 윤리를 세우기 위해서는 이제까지의 윤리학을 반성하고 새로운 윤리학을 세워야 한다고 보았다. 지금까지 아리스토텔레스, 아우구스티누스, 스피노자, 칸트, 헤겔과 같은 유명한 철학자들이 말해 왔던 전통적인 윤리학은 오로지 '지금(현재)' 과 '우리(인간)' 만을 윤리의 대상으로 보기 때문이다. 오직 인간과 인간, 우리 주변에서 일어나고 있는 선(善)과 악(惡)에 관련된 문제만을 다루는 전통적인 윤리학은 우리의 행동에 대한 '결과' 에 대해서만 책임을 묻고 있기 때문이다. 예를 들어, 잘못된 행동을 한 사람이 있다면, 그 사람만이 법적, 도덕적 책임을 지어야 한다는 것이다. "너의 이웃을 네 자신과 같이 사랑하라", "너의 개인적인 행복을 공익에 예속시켜라", "너의 능력을 최대한 발휘하라, 그러면 행복해질 것이다", "사람을 수단으로 대하지 말고, 항상 목적으로 대하라"라는 윤리학만이 존재했다. 그런데 이러한 윤리학의 중심에는 오로지 '인간' 만이 존재한다는 것이 잘못이라고 요나스는 보았던 것이다. '인간' 을 포함한 생태계 전체를 보고, 인간이 저지른 자연에 대한 잘못과 앞으로 벌어질 일에 대해서까지 책임을 져야 한다는 것이다.

인간의 근본적인 목적은 누구나 자기를 보존하고자 하는 데 있다. 그런데 인간이 책임을 지는 데에는 인간만이 아니라 자연을 훼손시키지 않고 생존하게 하는 것까지를 포함해야 한다. 인간은 자연에 대해 우월한 존재로 자부하면서 인간의 뜻대로 자연을 이용하고 침범했다. 바로 인간 자신을 보존하려는 목적에 따른 것이다. 그러나 인간은 자연에 의존해서 살아갈 수밖에 없는 존재이다. 만일 자연에 대한 책임 없이 과학기술의 발전에 따라 자연을 파괴한다면 인간은 더는 살아갈 수 있는 자연을 잃어버리게 된다. 인간이 자연에 대하여 책임을 져야 한다는 것은 결국 인간의 보존을 위해서이기도 하다. 인간은 자연 없이는 살 수 없지만, 자연은 인간 없이도 살 수 있기 때문이다. 그렇기 때문에 인간이 자연을 지키고 보존하는 것은 인간의 책임이면서 동시에 인간이 생명을 보존하고자 하는 자기 목적을 달성하는 당연한 것이다. 요나스는 이제까지 인간이 모든 자연보다 우월한 존재로 살아왔고, 그 과정에서 더 많은 자유를 누릴 수 있었다고 보았다. 따라서 신(神)이 인간에게 부여한 자유를 지키기 위해서라도 인간은 자연을 지켜야 한다는 것이다. 이것이 바로 요나스가 자연을 보호하고 지키는 것이 우리의 자유를 지키는 것이고 그것이 바로 우리에게 자유를 준 신을 돕는 것이라고 말한 까닭이다.

> **프로메테우스의 불**
> 그리스 신화에 나오는 프로메테우스는 '먼저 아는 사람'을 뜻한다. 그는 다른 존재들에 비하여 너무나 나약한 존재인 인간을 위해서 제우스의 불을 몰래 훔쳐다가 인간에게 가져다주었다. 오늘날 인간이 다른 존재들을 제치고 문명을 일으키며 발전하게 된 이유 중 하나가 바로 이 불 때문이다. 요나스는 프로메테우스가 가져다준 불의 권력이 근대 과학기술의 권력을 낳았다고 비유하고 있다. 과학기술의 권력은 한때 인간에게 유토피아를 가져다주었지만, 지금은 오히려 암울한 미래사회의 모습을 보여주고 있다는 것이다.

2. 교과서 속에서 만난 요나스

생명을 존중하는 것은 어렵고도 거창한 것으로 보일 수도 있다. 그러나 생명 존중이 꼭 위대하고 빛나는 업적일 필요는 없다. 일상생활 속에서 우리는 수많은 생명을 존중하는 방법을 발견할 수 있기 때문이다.

우리는 먼저, 생명 존중의 범위가 아주 넓다는 것을 알아야 한다. 우리는 보통 '생명 존중' 하면 사람의 목숨과 관련된 일이거나 남이 하기 어려운 거창한 일을 해야만 하는 것으로 생각하기 쉽다. 한 사람의 생명을 살리기 위해 자신을 희생해야만 생명을 존중하는 것으로 여기는 경우도 있다.

그러나 생명 존중의 의미를 모든 사람이 인간답게 사는 것을 존중하는 뜻으로 받아들인다면, 우리가 실천할 수 있는 생명 존중의 길은 아주 많다. 길을 가다가, 지친 모습으로 길가에 앉아 구걸을 하고 있는 사람에게 내 적은 용돈을 아껴서 내놓은 것도 생명 존중이고, 버스나 지하철 안에서 힘들어하시는 할아버지, 할머니에게 자리를 양보하는 것도 넓은 의미의 생명 존중이라고 할 수 있다.

또, 학교생활에서 힘없는 친구를 때리거나 놀리지 않고 사이좋게 지내는 것도 생명을 존중하는 한 가지 방법이라고 할 수 있다. 어떤 힘없는 친구가 따돌림을 당하거나 힘센 아이의 폭력이 두려워 마음 편하게 학교생활을 하지 못한다면, 인간답게 산다고 할 수 있겠는가?

또한, 생명 존중의 대상이 사람에게만 한정된 것이 아니라는 것을 알아야 한다. 그 대상은 동물과 식물을 포함한 모든 자연이 될 수 있다. 한 마리의 동물이나 한 그루의 나무를 귀하게 여기는 것도 생명 존중의 한 모습이라고 할 수 있다.

만일 우리가 산에 오르다가 아무런 이유 없이 나뭇가지를 꺾거나 지나가는 개미들을 발로 짓밟는다면, 생명을 존중한다고 말할 수 없을 것이다. 생명을 존중하는 것은 멀리 있거나 어려운 일이 아니다. 바로 내 가까이에서, 그리고 쉬운 것에서 생명 존중의 자세를 실천에 옮길 수 있다.

— 중학교 《도덕 1》 중에서

중학교 《도덕 1》 교과서에서는 '생명 존중'에 대하여 설명하고 있다. 생명 존중은 거창한 것이 아니라, 일상생활 속에서 다른 생명을 존중하는 것으로 여기에는 사람뿐만 아니라 자연의 모든 것까지 포함된다.

인간이 인간 이외의 존재들보다 우월하다는 생각, 인간의 생명이 다른 존재들의 생명보다 훨씬 더 중요하다는 생각은 그다지 오래되지 않았다. 만일 이러한 생각이 인류가 나타난 순간부터 있어왔다면, 지구는 아마 오래 전에 없어졌을 것이다. 이러한 생각은 인간의 이성과 합리성이 모든 발전의 기본이 되었던 근대 이후에 생겨난 것이다. 근대의 이성과 합리성을 통해 인간은 많은 발전을 이루어 왔다. 과학기술의 발전과 산업혁명은 자연을 인간에게 이롭게 이용하도록 해왔고, 돈을 벌기 위해서 가장 효율적인 수단과 방법을 찾아온 자본주의 발전 역시 인간만을 위한 것이었다. 이러한 발전의 결과 인간은 편안하고 안락하게 살아갈 수 있었지만, 대신 자연의 파괴라는 엄청난 결과도 함께 가지게 되었다. 생명이라는 것은 인간만이 아니라 다른 존재들에게도 중요한 것임을 깨달아야 하는 반성의 순간이 이제 인간 앞에 놓인 것이다.

인간이 과학기술의 의식을 지나치게 믿고 써온 결과 우리는 지구 온난화와 같은 환경문제에 맞닥뜨리게 되었다. 한 연구에 따르면 이러한 지구 온난화가 지속된다면, 2080년이 되면 지구 생물의 대부분이 멸종할 것이라고 한다. 인류뿐만 아니라 생태계 전체가 생존할 수 없게 되는 것이다. 상상만으로도 공포스러운 미래가 아닐 수 없다.

요나스는 '공포의 발견술(Heuristik der Furcht)' 이라는 말을 사용하여 과학기술의 발달로 인해 인류의 불확실한 미래의 종말을 예상해 보고 그 대안책으로 미래의 책임의식을 제시하였다. 이 책임의식은 인간뿐만 아니라 다른 생명에 대한 존중 의식을 말한다. 인간의 빠른 이동을 위해 터널을 위해 산을 뚫는다면, 그곳에 살던 동식물들의 삶의 공간은 사라지게 된다. 인간의 즐거움을 위해 산을 다져 골프장을 만들게 되어도 인간의 힘을 실험하기 위해 바다에서 하는 핵실험도 모두 인간만을 생각하는 것일 뿐이다. 이것의 끝은 인간을 포함한 모든 생명의 멸망뿐이다. 무시무시한 오늘과

내일을 바꾸기 위해서는 모든 생명을 존중하는 윤리의식이 필요하다.

우리는 환경오염과 생태계의 위기에 직면하고 있다. 곳곳에서 넘쳐나는 산업 폐기물과 생활 쓰레기는 우리 삶의 터전을 오염시키고 있다. 도시와 공장 같은 시설을 건설하기 위해 무수한 산림과 들판을 파헤쳐 자연을 파괴하고 있다.

유엔에서는 '환경 파괴 경고' 공동 선언문에서, "생물자원의 고갈, 가뭄과 사막화, 무분별한 산림 훼손, 유독 화학 물질로 인한 오염 등으로 지구상의 생명체를 지탱시켜 주는 환경이 계속해서 악화되고 있다"라고 경고하고 있다. (……)

급격한 산업의 발달과 과학 기술의 진보로 인해 발생하는 부작용 때문에 나타나는 문제들이다. 지금까지 성장 위주의 무분별한 정책은 과학 기술 만능주의를 불러일으켜 도덕의식을 약화시켰다. 그 결과 인간은 생명체의 유전자를 조작하여 생명의 가치를 훼손하는 경우까지 나타났다. 또, 지나친 개발과 소비는 자연 파괴와 환경오염을 가져왔다. (……)

사람의 생명이 소중한 만큼 생태계의 모든 생명도 소중하다는 것을 알고, 자연을 사랑하고 환경을 보호하는 자세를 가져야 한다. 다음의 이야기를 통해 우리가 가져야 할 자연에 대한 태도를 생각해 보자.

혜란이가 사는 아파트에서는 애완동물을 기르지 못하게 한다. 애완동물로 인한 소란, 악취, 소음 등의 피해가 너무 많다는 주민들의 항의 때문이다. 그런데 어떤 사람들은 애완동물을 몰래 기르고 있다. 남에게 들키지 않게 하기 위해 동물의 목소리를 빼앗고, 털을 깎아 옷을 입히며, 집 밖으로 나가지 못하게 묶어 두는 상황이 벌어진다.

이처럼 우리는 동식물을 인간의 입장에서만 바라보고 취급해 왔다. 그러나 어떤 생명이든 나름의 살아가는 방법이 있기 때문에 우리는 그것을 존중해야 한다. 자연이라는 커다란 울타리를 생각해 보면 동식물들이 살 수 없는 환경은 인간도 살기 어렵다는 것을 알 수 있다. 그런데 인간의 욕심으로 인해 이미 지구상에서 사라져 가고 있는 동식물들이 있다는 것은 안타까운 일이다. 이제 우리는 인간의 생명만이 아니라, 동식물의 생존을 위해서도 생태계를 보호해야 한다. 이것은 지구에 살고 있는 우리의 의무이자 과제이다.

— 중학교 《도덕 2》 중에서

중학교 《도덕 2》 교과서에서는 '인간중심주의'가 가져온 심각한 환경 파괴와 그것에 대한 책임을 인간이 져야 함을 설명하고 있다.

요나스는 '책임'의 개념을 두 개로 구분하고 있다. 보통 우리가 책임에 대해 말하는 것은 자신이 한 일에 대한 결과에 책임을 지는 것이다. 우리가 한 행동에 대한 원인과 결과를 반성하고 따지는 것을 말한다. 그런데 요나스는 인간의 책임에는 이외에 하나가 더 있다고 보았다. 바로 앞으로 계속 행위해야 할 것에 대한 책임도 지는 것이다. 이제까지 인간이 자연을 도구로써 사용하고 지배해온 결과 우리는 자연 파괴라는 결과를 가지게 되었다. 이것에 대한 책임을 인간이 져야 하는 것은 너무도 당연하다. 그리고 결과뿐만 아니라 앞으로 자연에게 행동할 행위에 대하여서도 인간이 책임을 져야 하는 것이다.

인간의 근본적인 목적은 누구나 자기 자신을 잘 보호하고 보존하고자 하는 데 있다. 어떤 다른 목적을 위해서도 아니며 오직 하나밖에 없는 자기 자신의 생명을 보호하고 보존하려는

생태지향주의 생태주의
생태지향주의는 자연의 생존권을 인정하여 자연에 대한 경외사상을 바탕으로 자연과 인간의 윤리적 관계를 회복하려는 환경 운동의 이념이다. 생태 지향주의자들은 인간이 자연을 구성하는 필수적인 존재는 아니지만, 자연은 인간에게 필수적인 존재라는 사실을 중요하게 생각한다. 생태지향주의는 자연에 대한 잘못된 이해에 뿌리내리고 있는 물질 만능주의는 그릇된 것이라고 주장한다. 이러한 생태지향주의는 크게 보수적 생태지향주의와 진보적 생태지향주의로 나누어진다.

목적이다. 한스 요나스는 이것을 '자기목적'이라고 말한다. 그런데 자기 자신을 보존하려는 행위는 인간에게만 있는 것이 아니라 다른 생물에게도 있다는 것을 알아야 한다. 요나스는 "인간은 자연에 주어진 목적을 지닌 존재들에 대해 요청하는 권리를 충족시켜라"라고 요구하는데, 자연을 훼손하면서 자연의 자기목적을 함부로 망쳐온 것은 인간이기 때문이다. 또한, 인간이 자기목적을 달성하기 위해서라도 자연을 보호하고 보존해야만 한

다. 인간은 자연에 우월하다고 자부해 왔지만, 오히려 자연은 인간 없이도 살 수 있다. 반면, 인간은 자연 없이는 살아갈 수 없는 존재이기에 인간의 생존을 보호하기 위해서라도 자연을 존중하고 보호하고 보존해야만 하는 것이다.

3. 기출 문제에서 만난 한스 요나스

대학의 논술 시험에서 요나스의 저서가 직접적으로 제시된 적은 없지만, 환경을 주제로 한 문제는 자주 출제된 중요한 주제이다. 요나스의《책임의 원칙》이 요구하는 자연에 대한 인간의 책임과 새로운 윤리관은 환경을 주제로 한 수많은 논술 문제의 바탕이 된다. 2000년 성균관대 정시, 2002년 고려대 수시 1, 2000년 한양대 정시, 2004년 동국대 수시 2, 2007년 고려대 예시 논술 문제 등이 대표적인 인간과 자연환경을 주제로 한 문제들이다. 오늘날 인간이 처한 자연 생태계의 파괴와 붕괴되어 가는 현상이 너무도 심각하기 때문에 논술 문제에서도 자주 출제되는 것이다.

2000년 한양대 정시 논술 문제의 경우 직접적으로 환경 문제 해결을 위한 방안을 논술하라고 요구하고 있다. 환경문제가 발생한 원인은 더 많은 것을 가지려고 하는 인간의 소유욕과 모든 것을 경제적인 관점에서 바라보는 현대인들의 사고방식이다. 예를 들어, 200원짜리 아이스크림 두 개와 400원짜리 아이스크림 하나는 똑같은 돈을 지불하는 것이다. 하지만, 400원짜리 아이스크림 하나가 더 윤리적이다. 더 많은 물질을 소유하려는 인간의 욕심 그 자체가 문제이기 때문이다. 또한 지구상에 사용 가능한 에너지는 계속적으로 줄어들기만 하고, 사용 불가능한 에너지는 갈수록 증가한다는 것이 곧 환경파괴를 의미한다는 것 역시 함께 출제되었다.

자연환경을 복원하기 위하여 또 다른 기술을 연구하는 것보다 훨씬 더 중요한 것은 인간의 이기심을 반성하고 소유욕을 버리는 것이다. 만일 이러한 근본적인 방법이 선행되지 않으면, 아무리 훌륭한 복원 기술이 있더라도 여전히 자연은 인간에 의해 파멸되어 갈 수밖에 없기 때문이다. 요나스의 철학처럼 이제까지 해온 것에 대한 책임을 지는 윤리의식뿐만 아니라 앞으로 인간이 자연에게 할 행위에 대하여서도 책임을 지는 윤리의식이 필요한 것이다.

엔트로피(entropy)
엔트로피란 열역학 제2법칙. '일'로 바꿀 수 없는 '사용 불가능한 에너지'에 대한 척도이다. 자연적인 사물들이 새로운 것들로 변화할 때 에너지가 사용되며 엔트로피가 높아진다. 즉, 사물들에 어떤 변화를 일으키는 '일'의 과정에서 에너지가 사용되는데, 이때 에너지는 '사용 가능한 에너지' 상태에서 '사용 불가능한 에너지' 상태로 변환되는 것이다. 엔트로피 법칙에 따르면 전체 사용 가능한 에너지의 양은 항상 줄어들고 사용 불가능한 에너지의 양은 더욱 증가하게 된다. 지구상에서 '사용 가능한 에너지'는 지구 내부에 있는 자원과 지구 외부로부터 오는 태양 에너지가 전부이다. 인간이 오늘날과 같은 발전을 멈추지 않고 계속 해 나간다면, 엔트로피 역시 증가하면서 결국 지구에는 사용 불가능한 에너지만 남게 될 것이다.

실 전 논 술

논술 문제

case 1 제시문 (가)와 (나)를 읽고, 자연을 어떻게 생각하는지 차이점을 밝히시오. 그리고 이 두 가지 관점 중에서 어느 쪽이 더 올바르다고 생각하는지 자신의 생각을 논술하시오. (600자 내외)

가 그대들은 어떻게 저 하늘이나 대지를 사고 팔 수 있는가? 우리에게는 이상하게 생각된다. 신선한 대기와 반짝이는 물을 우리가 소유하고 있지도 않은데, 어떻게 팔 수 있단 말인가? 이 대지의 모든 부분은 신성한 것이다. 솔잎, 모래 언덕, 숲 속 안개, 온갖 벌레들, 이 모두가 우리에게는 신성한 것이다.

우리는 대지의 한 부분이고, 대지는 우리의 한 부분이다. 꽃은 우리의 자매이다. 사슴, 말, 독수리, 이들은 우리 형제들이다. 바위산, 풀꽃, 조랑말과 인간은 모두 한 가족이다. (……)

우리는 땅을 사겠다는 당신들의 제안을 생각해 보겠다. 그러나 한 가지 조건이 있다. 이 땅의 짐승들을 형제처럼 대해야 한다는 것이다. 나는 초원에서 썩어 가는 수많은 들소들을 본 일이 있는데, 모두 백인들이 총으로 쏘고는 그대로 내버려 둔 것들이었다.

짐승들이 없는 세상에서 인간이란 무엇인가? 모든 짐승이 사라져 버린다면, 인간은 외로움 때문에 죽게 될 것이다. 짐승들에게 일어난 일은 인간들에게도 일어난다. 만물은 서로 연결되어 있기 때문이다.

우리가 이 땅을 팔더라도, 우리가 사랑했듯이 이 땅을 사랑해 달라. 우리가 돌본 것처럼 이 땅을 돌보아 달라. 온 힘을 다해서, 온 마음을 다해서, 당신들의 아이를 위해 이 땅을 지키고 사랑해 달라.

🔵 "우리 아빠가 댐이 만들어지면 오히려 더 살기 좋은 곳이 될 수 있다고 하셨어. 물론 마을 자체가 사라지기는 하지만, 댐이 만들어지면 주변 경관이나 자연 환경을 더욱 발전시킬 수 있다고 하셨거든. 사람들이 이 마을을 떠나 무엇을 먹고 살까 걱정들이 많다고 하셨는데 오히려 일자리가 많이 생긴다고 하셨지."

"어떻게?"

진아는 소율이의 다음 말이 너무 궁금했습니다. 농사를 짓지 않으면 무얼 해먹고 살까? 걱정하시던 아빠에게 좋은 정보를 드릴 수도 있다는 생각이 들었습니다.

"다른 곳에도 우리 마을처럼 댐이 들어온 곳이 있대. 저수지에서 낚시터를 만들어 장사를 하는 사람들도 늘었고 또 하천에서 해양스포츠를 하는 사람들도 많이 생겼대. 그런 것들이 생기면 다른 곳에서 사는 사람들이 우리 마을을 많이 찾을 거야. 그러니 주변에서 장사를 하면 얼마나 돈을 많이 벌겠니? 그러니까 1차 산업에만 매달리지 말고 관광, 레저와 같은 4차 산업 같은데 눈을 돌려야지."

진아는 소율이가 대단하게 느껴졌습니다. 어떻게 그런 어려운 말을 다 할 수가 있는지, 평소의 소율이 같지 않았습니다. 그러나 진아는 아빠가 말씀하신 태를 묻은 고향이라는 것에 대해 생각을 했습니다. 과학발전에 대한 이익에만 생각이 머물면 안 될 것 같다는 생각이 들었기 때문이었습니다.

"그렇지만…… 우리 마을이 없어진다면 너와 함께 갔던 물레방앗간도 없어질 테고, 그리고……."

진아는 머뭇거렸습니다.

"진아야! 감정에만 치우치지 말고 좀 넓게 생각해 봐. 그런 것쯤은 희생할 줄도 알아야 해. 과학이 발전하려면 말이야. 사실 우리가 좀 더 발전된 삶을 사는 것이 모두가 원하는 바 아니겠니?"

진아는 소율이의 말이 왠지 교과서를 읽는 것처럼 느껴졌습니다. 교과서의 말은 모두가 옳았습니다. 그렇다고 해서 꼭 마음에 맞는 것은 아니었습니다.

―《한스 요나스가 들려주는 환경 이야기》 중에서

생각 쓰기

Case 2 제시문 (가)에 나오는 입장을 설명하고, 제시문 (나)와 같은 문제가 왜 발생하는지를 논술하시오. 또한 이런 문제에 대하여 자신의 입장은 어떤 것인지 논술하시오. (600자 내외)

가 어느 겨울날, 제자가 이른 아침에 선생님 댁에 와보니 선생님이 추운 방에서 찬 우유와 빵을 들고 계셨다.

"선생님! 이 추운 날씨에 어떻게 찬 우유를 드십니까?" 하면서 제자는 우유 그릇을 들고 난롯가로 갔다. 그러자 선생님은 "그만 됐네. 괜찮으니 난롯불을 피우지 말게" 하고 말씀하셨다.

"잠깐이면 됩니다. 불을 피우면 금방 난로가 따뜻해지니까 우유를 데울 수 있습니다" 하면서 제자는 난롯불을 피우려고 하였다.

그러자 선생님은 애원하듯, "제발 불을 피우지 말게. 부탁이네"라고 하면서 손을 저었다.

이상하게 여긴 제자가 선생님께서 왜 불을 피우지 못하게 하는지를 여쭈어보았더니, 선생님께서는 다음과 같이 대답하였다.

"저기 작은 새가 이 집 굴뚝에다 집을 짓고 새끼를 기르고 있다네. 내가 불을 피워 연기를 내면 그 새끼들은 어떻게 되겠나?"

— 중학교《도덕 1》중에서

나 아파트 단지 지하 보일러실에 사는 길고양이(일명 도둑고양이)를 두고 고양이를 보호하자는 주민과 이를 반대하는 주민들 간의 대립이 치열하다.

서울 용산구 동부이촌동 H아파트에서는 2003년 가을부터 차모(47세·여·화가)씨 등 주민 10여 명이 '동물을 사랑하는 모임'을 꾸려 아파트 단지 내 서식하는 길고양이 40여 마리에게 먹이를 주는 등 보호활동을 벌여왔다. 이들은 고양이를 그대로 두면 개체수가 계속 늘어나기 때문에 인터넷 카페를 개설하고 후원금을 모아 고양이 20여 마리에게 불임수술을 해 주는 TNR(Trap-Neuter-Return)사업을 벌였고, 70여 마리는 인터넷 광고 등을 통해 새 주인을 찾아줬다.

하지만 대다수 아파트 주민들은 고양이들이 쓰레기봉투를 찢기도 하고 배설물과 썩은 사료로 악취, 소음을 유발해 더 이상 참을 수 없다며 불만을 터트리고 있다. 지난해 4월과 올 2월에는 고양이가 지하 변전실을 돌아다니다 감전돼 죽으면서 아파트 일부 동이 정전되는 사고가 발생하기도 했다.

주민 김모(56세)씨는 "고양이 울음소리로 아파트가 시끄럽고, 지저분한 오물들로 모기가 들끓는다"며 "아파트값이 떨어지는 것도 그렇지만 건강을 생각했을 때 길고양이들을 그냥 둬서는 안 된다"고 말했다.

서모(55세)씨도 지난 22일 22동 주민 98%의 동의를 얻어 고양이 출입구를 시멘트로 봉쇄하자 이를 발견한 차씨 등 2명이 "고양이를 굶겨 죽일 수 없다"며 시멘트를 부숴 서울 용산경찰서에 재물손괴 혐의로 불구속 입건되는 등 길고양이를 놓고 주민 간 대립이 계속되고 있다.

— 세계일보, '이웃사촌 갈라놓은 도둑고양이', 2007년 2월 23일 기사

생각 쓰기

생각 쓰기

제시문 (가)에 나오는 소나무의 이야기를 토대로 하여 (나)에 나오는 진수의 입장을 비판해 보시오. 그리고 오늘날 환경문제를 해결하기 위하여 인간은 어떤 자세를 가져야 하는지 자신의 생각을 논술하시오. (600자 내외)

가 나는 높은 절벽 한가운데에 옆으로 간신히 매달려 살아가는 소나무다. 나는 뒤틀리고 구부러지고 키도 작고 볼품도 없다. 또, 옆에 아무도 없는 외톨이 신세이다. 저 아래 좋은 땅에서 수많은 나무들이 크게 자라 있는 모습을 보면 부럽기만 하다. 나는 외롭고, 내 모습이 너무 싫어서 죽고 싶었던 때가 한두 번이 아니었다.

그러던 어느 날, 한 젊은이가 절벽을 타고 산에 오르기 시작했다. 젊은이는 바위의 조그만 틈새에 고리가 달린 못을 박고 줄을 연결하면서 조금씩 올라왔다. 나는 '저러다 떨어지면 어떻게 하나' 하면서 숨죽이고 내려다보았다. 한참 후에 젊은이는 내가 있는 바로 옆까지 올라와 나를 쳐다보더니 다시 위로 올라가기 시작했다. 그런데 얼마쯤 지났을까? 갑자기 "앗!" 하는 비명 소리와 함께 젊은이가 미끄러져 내렸다. 발을 헛디딘 것이다. 잠깐 사이에 일어난 일에 나는 순간적으로 눈을 감았다. 그리고 갑자기 허리가 부러진 듯한 아픔을 느꼈다.

눈을 떠보니 놀랍게도 그 젊은이는 내게 매달려 있었다. 나를 붙잡고 허공에 매달려 있는 것이다. 나는 있는 힘을 다했다. 내가 뽑히는 것은 상관이 없었다. 그러나 내게 매달려 있는 젊은이를 위해 이를 악물고 견뎌야 했다.

나의 노력이 결실을 거둔 것일까? 얼마 후에 젊은이는 정신을 가다듬고, 조금 전에 설치했던 줄을 다시 잡고 올라가기 시작했다. 그런데 나는 그때 그 젊은이가 내게 한 말을 정말 잊을 수 없다.

"고맙다, 나무야. 정말 고마워. 네가 이곳에 없었다면 난 죽었을 거야."

볼품없는 나도 쓸모가 있다는 것을 그때 배웠다. '나도 누군가를 위해 무엇인가 해줄 수 있구나! 내 삶도 헛된 것이 아니구나!' 라고 느끼는 순간부터 나는 절벽 위에 홀로 있어도 전혀 외롭지가 않았다.

그날 이후, 나는 '기다림' 이라는 것을 알게 되었다. 언젠가 누가 또 나를 필요로 할지도 모르니까.

(나) 기름을 뒤집어 쓴 물새가 날지 못하고 날개만 파닥거리며 신음하고 있었습니다. 물고기들은 하얀 배를 뒤집고 집단으로 폐사했고, 조개들은 속이 텅 빈 채 쩍쩍 갈라져 있었습니다. 살아 숨 쉬던 갯벌은 그야말로 쓰레기장이 되고 말았습니다.

"우리가 보상금을 받고 새로운 일을 찾아 떠나고 나면 우리 마을은 흔적도 없이 물에 가라앉고 철새와 아름다운 꽃들이 자라는 곳엔 포크레인이 지나가고 거대한 댐이 들어설 거야. 주변의 모든 동물들도 죽거나 그곳을 떠나야 하고."

아빠의 이야기를 듣고 있던 진수가 슬그머니 말했습니다.

"그런데 아빠! 친구들은 댐이 만들어지는 게 다 우리를 위해서래요. 물이 부족하니까 물도 저장해 주고 홍수도 막아 주고 에너지도 만들어 주고…… 그 모든 게 과학기술이 발전해서 그렇대요. 그러니 그건 좋은 거고, 우리가 더 잘 살기 위한 거래요."

— 《한스 요나스가 들려주는 환경 이야기》 중에서

생각 쓰기

생각 쓰기

실 전 논 술

예시 답안

제시문 (가)와 (나)는 자연에 대하여 사람들이 가지는 관점이 서로 상반된 것을 알려준다. (가)는 인간이 자연보다 우월한 존재가 아니라, 다른 생명체들과 마찬가지고 자연의 일부일 뿐이라고 생각한다. 인간을 위해 자연을 희생하는 것은 인간의 생존을 위한 경우뿐이며, 형제이며 가족인 자연을 항상 사랑해야 한다고 말한다. 반면, (나)에서는 자연이 인간을 위하여 존재하는 것으로 본다. 댐을 만들게 되면 더 많은 일자리가 생기고, 사람들을 위한 오락 시설도 생겨나니 훨씬 더 이로운 일이라고 보는 것이다. 인간의 발전된 삶을 위해서 자연을 이용하는 것은 당연한 인간의 권리라고 생각하는 것이다.

오늘날 지구는 심각한 환경문제를 안고 있다. 100년 후 미래의 지구에는 대부분의 생명체들이 멸종할 것이라는 무시무시한 연구결과도 있다. 이런 결과는 인간의 편리함과 안락함을 위하여 자연을 이용해왔던 (나)와 같은 생각이 가져온 것이다. 인간은 자연의 일부이다. 자연에 대해서 우월한 존재라고 생각해왔지만, 사실 인간은 자연 없이는 단 하루도 살아갈 수 없는 존재이다. 이제라도 자연을 우리와 같은 존재로 여기면서 소중히 다루어야만 한다.

(가)에서는 어린 새의 생명이 차가운 우유와 빵을 먹어야 하는 불편함보다 훨씬 더 중요하다는 것을 말해 준다. 인간의 편안함을 위해서 인간 이외의 생명을 하찮게 여기는 것이 얼마나 어리석은 일인지를 보여 주는 것이

다. 반면 (나)에서 나타나는 사람들 사이의 갈등은 인간의 불편함과 동물의 생명 사이에서 발생하는 것이다. 안락하고 위생적인 환경에 길고양이들은 방해물이 되는 것이다. 그러나 이것은 인간의 이기심에 지나지 않는다. 길에서 사는 동물들 역시 이 땅 위에 살아갈 권리가 있기 때문이다. 그런데도 인간은 마치 모든 땅의 주인이라도 된 듯이, 자신에게 방해가 되는 생명들을 잔인하게 대하고 있다.

지구의 주인은 인간이 아니다. 이제까지 인간이라고 여겨왔기 때문에 오늘날과 같은 심각한 환경 파괴와 생명 존중정신의 파괴가 일어나는 것이다. 인간의 생명이 중요하듯이 다른 생명의 중요함을 깨닫는 것이 필요하다. 더불어 사는 것이 가지는 아름다움을 깨닫고, 자신만을 위하는 인간의 이기심을 버려야 할 때이다.

case 3 소나무는 젊은이의 생명을 구하기 위하여 자신의 몸이 상하는 고통을 견디면서 희생하였다. 이 이야기는 이제까지 인간의 편안한 삶을 위하여 희생해온 자연의 고귀함을 은유적으로 보여주고 있다. 그런데도 인간은 여전히 (나)의 진수와 같이 인간이 더 잘 살기 위해 댐을 만드는 것과 같은 일을 계속해야 한다고 생각한다. 그러나 희생은 일방적인 것이어서는 안 된다. 또한 인간은 이제까지의 자연이 희생한 것에 대하여 책임을 져야만 한다.

자연을 함부로 파괴하고 이용하기 이전에 인간들이 살았던 것과 오늘날을 비교해 보면, 현재 인간의 삶은 예전과 비교도 안 될 정도로 발전했다. 이제 그만 발전의 속도를 늦춰도 좋을 텐데 계속적으로 인간이 더 잘 살기 위한 것만을 고민하고 있다. 인간은 자연에서 동떨어져 살 수 없는 존재이기 때문에 그리고 현재의 심각한 문제들을 인간이 만들었기 때문에, 인간은 책임의식을 가져야 한다. 현재 뿐만 아니라 미래의 인간과 자연을 위해서도 역시 책임의식을 가져야만 한다. 인간이 계속적으로 이기심을 버리지 않고, 자연을 함부로 희생시킨다면, 인간을 포함한 지구상의 모든 생명은 비참한 결말을 맞을 수밖에 없기 때문이다.

철학자가 들려주는 철학이야기 076

푸코가 들려주는 권력 이야기

저자_이지영

연세대학교 사회학과를 졸업하고, 연세대학교 대학원에서 사회학 석사 학위를 받았다. 이후 서울 주요 논술학원에서 인문계 논술강사로 활동하고 있으며, 〈박학천 아작 정시 논술〉, 〈박학천 아작 수시 논술〉, 〈한솔 M 플라톤 논술〉시리즈 등 다수의 논술 교재를 집필했다.

Michel Foucault

푸코와 '권력'

미셸 푸코 주요 개념

1. 미셸 푸코를 만나다

1) 미셸 푸코는 누구인가 ― 시대와 생애

미셸 푸코(Michel Foucault, 1926~1984)는 프랑스 출신의 철학자로 그의 사상은 프랑스뿐만 아니라 현대 사상계 전반에 걸쳐 지대한 영향을 미치고 있다. 그는 '근대적 인간이 어떻게 탄생했는가?', '권력은 어떻게 작용하는가?'와 같은 문제를 평생의 학문적 과제로 삼았고, 이전 시대와는 전혀 다른 독창적인 이론을 내놓았다.

1926년 프랑스 푸아티에(Poitiers)에서 의사 집안의 아들로 태어난 푸코는 프랑스 최고의 엘리트 코스인 고등사범학교에서 철학을 전공하였다. 이후 여러 대학의 교수직을 거치다가 1970년대 이후 '콜레주 드 프랑스'에서 '사상체계의 역사' 담당 교수로 죽을 때까지 활동했다. 푸코는 대학에서 교수로서의 활동뿐만 아니라, 감옥 안의 재소자, 동성애자, 불법이민자 등 사회 안의 주변부 집단의 인권 개선을 위한 사회운동에도 적극 참여했다. 푸코의 활동 영역이 광범위한 만큼 그의 학문적 주제와 관심 또한 광범위하였다.

푸코는 다양하고 넓은 분야에 대하여 관심을 가졌지만, 특히 지식과 권력의 관계가 평생의 가장 큰 학문적 과제였다. 푸코 이전에 프랑스를 대표하던 사상가인 사르트르(Jean Paul Sartre)는 인간이 가지고 있는 주체성에 주목하면서, 개인은 자기 자신을 스스로 만들어 가는 것이고, 나아가 자신이 속한 사회에 대해서도 스스로 행동을 해야 한다고 보았다. 그렇기 때문에 특히 지식을 가진 지식인들은 사회 내의 올바르지 못한 권력에 대하여 스스로 참여해서 대항해야 한다고 주장했다. 즉, 지식의 본성은 권력에 저항하는 것이라고 믿은 것이다. 실제로 사르트르와 같은 사상가들의 주장은 1968년 프랑스에서 일어난 '68혁명'에 지대한 영향을 주기도 했다. 당시 부당한 국가 권력과 사회 내의 올바르지 못한 권위에 대항하여 많은 대학생들과 지식인들이 이 혁명의 핵심 세력이 되었기 때문이다. 하지만, 이러한 시대의 주요한 사상적 흐름을 뒤집은 주장을 내놓은 사람이 바로 미셸 푸코이다.

2) 이성을 가진 사람 vs 광기를 가진 사람 —《광기의 역사》

푸코는 먼저 근대적 인간이 어떻게 만들어졌으며, 근대적 인간이 자신과 다른 인간들을 어떻게 사회로부터 소외했는지를 알고자 했다. 특히 근대를 대표하는 '이성'과 그것에 반대되는 '광기'를 통하여 이러한 질문에 대한 답을 탐구해 나갔다. 《지식의 고고학》, 《광기의 역사》, 《임상의학의 탄생》과 같은 푸코의 초기 저작은 이러한 탐구의 결과를 보여주고 있다.

　오늘날에는 광기(狂氣)를 가진 미친 사람(狂人)이 정신병원에 감금되어 치료를 받는 것이 지극히 당연한 것으로 여겨지지만, 이것이 상식이 된 것은 역사적으로 그리 오래된 것이 아니다. 중세 시대나 르네상스 시기까지만 하더라도, 광기(狂氣)는 예지력과 같은 특별한 능력으로 인정되었고, 광기를 가진 사람들은 사회에서 다른 사람들과 자연스럽게 섞여서 일상적으로 살고 있었다. 하지만, 광기와 반대되는 이성(理性)이 모든 것을 지배하는 18세기에 들어서면서 광기는 '이성이 없는 상태'로 판단되고, 광기를 지닌 사람들은 사회에서 격리되어, 감금당하기 시작한다. 19세기에 들어와서 '정신분석학(혹은 정신의학)'이라는 새로운 지식이 정신병원의 권력을 정당하게 뒷받침하게 된다. 즉, 미친 사람들을 '이성을 가진 정상적인' 사람들이 살고 있는 사회로부터 격리시키고 감금하여 치료하게 하는 권력을 정신의학이 보증해 주는 것이다.

　여기에서 푸코는 단순하게 이성과 광기를 나누는 것에서 그치지 않고, 이성이 광기를 끊임없이 소외시키고 억압하는 것을 고발하고자 했다. 과학이라고 간주된 것과 비과학이라고 불리는 것 사이의 경계, 정상인들과 비정상인들 사이의 경계, 이성과 비이성을 가르는 경계 등이 어떻게 구분되었는지를 들추어 내고, 전자들이 후자를 소외시키고 억압하는 근대 혹은 근대인의 폭력성을 비판했다.

3) 떨어질 수 없는 지식과 권력 ―《감시와 처벌》

한편 푸코는 인간은 결코 주체적인 존재가 아니고, 지식과 권력의 관계 역시 대항하는 것이 아니라 아주 밀접한 공생(共生)의 관계에 있다고 보았다. 사르트르와 같은 실존주의자들은 인간을 주체성을 가진 존재로 보았지만, 푸코는 인간은 철저하게 사회의 규율 권력에 복종하는 존재로 살아간다고 주장했다. 이때 사람들을 통제하고 규율하는 권력은 국가의 공권력과 같이 눈에 잘 보이는 힘뿐만 아니라, 일상생활 속에서 거미줄처럼 얽혀 있는 것이라고 보았다. 또한 그렇기 때문에 누구도 이러한 권력의 거미줄에서 자유로울 수 없다고 보았다. 설사, 그가 막강한 권력을 가진 정치인이라도 마찬가지인 셈이다.

푸코의《감시와 처벌》이라는 책을 보면, 사회의 권력에 복종하는 인간이 어떻게 만들어지는지를 보여준다. 학교에서는 교칙에 따라 바람직한 학생을 길러내고, 군대에서는 명령에 잘 복종하는 군인을 육성하고, 감옥에서는 재소자들을 감옥 밖의 사람들과 같이 사회 내의 규범과 법질서를 잘 지키는 사람들로 교정하며, 병원에서는 질병을 치료하여 정상적이고 건강한 사람들로 만들어 내는 것이다. 이렇게 눈에 보이지 않지만 촘촘하게 짜인 권력은 자유롭고 주체적인 개인들이 아니라, 권력에 잘 복종하고 규율을 잘 따르는 개인들을 만들어 내는 것이다. 이 책에서는 '판옵티콘'이라고 불리는 원형 감옥이 나온다. 원형으로 만들어진 감방 속에 죄수들이 있고, 원형 감옥의 중앙에는 감시탑이 있다. 이 감시탑은 높게 솟아 있고, 맨 윗부분은 항상 어둡다. 어두운 탑 위에서 아래쪽의 밝은 감방을 보게 되면, 죄수들의 일거수일투족을 낱낱이 알게 된다. 감시탑 위의 간수들에 의해 감시를 당하는 죄수들은 처음에는 자신을 감시하는 시선이 두렵기도 하고, 귀찮기도 할 것이다. 하지만, 감옥의 규율을 지키지 않으면 그에 따른 처벌이 있기 때문에 죄수들은 불만을 가진 채 얌전히 행동할 수밖에 없다. 여기에서 흥미로운 것은 감시탑 위에 간수들이 없어도, 아래에 있는 죄수들은 그 사실을 알 수 없다. 아래 감방

판옵티콘(panopticon)
판옵티콘은 '모두'를 의미하는 'pan'과 '본다'를 의미하는 'opticon'을 합성한 말이며, '모두 다 본다'라는 뜻이다. 다른 말로, '일망(一望) 감시체제'라고도 한다. 18세기 말 영국의 철학자인 제러미 벤담(Jeremy Bentham)에 의해 처음 설계되었다. 실제로 죄수를 가두어 놓은 감옥으로는 별다른 주목을 받지 못했다. 오히려 이 말은 감옥 자체를 의미하기 보다는 푸코가 《감시와 처벌》에서 밝힌 것처럼, 죄수들이 규율과 감시를 내면화해서 스스로를 감시하고 통제하게 되는 것과 같이, 사회 내의 규범을 사회 구성원들이 내면화해서 따르게 되는 원리로 이해된다.

쪽에서는 어두운 감시탑 위의 간수들이 애초에 보이지 않기 때문이다. 그래서 죄수들은 항상 간수들이 자신들을 보고 있다고 생각할 수밖에 없고, 열심히 규율에 맞게 행동하게 된다. 시간이 지나면서 서서히 죄수들은 무의식 중에서도 간수들의 시선을 의식하면서, 폭력이나 물리적인 억압이 없

이도 감옥의 규율을 익혀가는 것이다. 그러다가 시간이 더 흐르게 되면 결국 자연스럽게 감옥의 규율이 내면화된다. 감시받는 사람은 이제 감시탑 위에 자신을 감시하는 간수가 있건 없건 간에, 마치 원래 자신의 것인 냥 감옥의 규율을 잘 지키게 되는 것이다.

푸코의 '판옵티콘(원형 감옥)'은 사람들의 일상생활을 지배하는 거미줄과 같은 규율을 상징적으로 보여준다. 근대인이라고 불리는 오늘날의 인간들은 원형감옥 속의 죄수들과 마찬가지로 내면화된 권력의 시선을 의식하면서 행위하는 존재라는 것이다. 이 때 권력은 '예의범절(에티켓)', '공공질서', '규범', '법규' 등의 이름으로 바꾸어 부를 수 있다. 그리고 이러한 일상적인 권력의 감시 구조는 사회를 한층 더 합리적으로 잘 만들어 주기 때문에, 그 속의 개인들은 자신이 권력의 감시에 예속되었다는 사실을 깨닫거나 저항하기 어렵다. 이러한 푸코의 권력 이론은 획기적일 수밖에 없었다. 푸코 이전에 사상가들은 근대 이후 인간은 '이성(理性)'을 통해 사유하고 판단하면서, 자유롭게 행동할 수 있는 존재로 재탄생되었다고 생각했기 때문이다. 그러나 푸코는 근대 사회의 합리성은 근대 이전과는 달리 훨씬 더 세련되고 교묘한 방식으로 인간을 옭아맨다고 보았고, 그 속에서 인간은 철저하게 사회가 원하는 방식에 따라 살아가는 존재일 뿐이라는 것을 밝혀냈다.

2. 교과서 속에서 만난 푸코

1) 왜 질서를 지켜야 할까?

모든 자연과 사회에는 질서가 있다. 자연의 질서는 우주 만물의 섭리에 순응하는 것이고, 사회의 질서는 사람이 예절과 법을 지키는 것이다. 즉, 사회의 질서란 사람들 스스로 행동을 삼가고 자신을 다스리는 것이며, 사람들이 함께 살아가는 공동생활의 기반이 되는 것이다.

그러면 사회생활에서 우리는 왜 질서를 지켜야 하는가? 먼저, 인간은 윤리적 존재이기 때문에 질서를 지켜야 한다. 인간은 스스로 절제할 수 있고, 옳다고 생각하는 것을 행할 수 있는 윤리적인 존재이다. 즉, 인간은 자신과 더불어 다른 사람을 배려할 수 있으며, 스스로 절제할 줄 아는 자율(自律)의 마음을 가진 존재이다.

— 중학교 《도덕》 중에서

중학교 《도덕》 교과서에서는 인간이 자율적인 존재이며, 사회 공동체를 살아가기 위해 질서를 지켜야 한다고 말하고 있다.

인간은 누구나 태어나 자라면서, 가정이나 학교 등에서 자신이 속한 사회의 규범과 질서를 지키도록 배운다. 이를 우리는 '사회화' 과정이라고 부르며, 이 과정에서 자유로운 인간은 없다. 그런데, 인간은 사회의 질서를 지키는 자율적인 존재로 태어나는 것일까? 아니면 자율적인 존재로 길러지는 것일까? 푸코는 애초부터 자율적인 존재로 태어나는 것이 아니라, 사회의 보이지 않은 규율과 권력의 망 속에서 자율적 존재로 길러지는 것이라고 주장한다. 물론, 사회의 안정을 위해서 그 사회가 요구하는 규범과 질서를 지키는 것은 필요하다. 그러나 이것이 과도하게 인간의 자유를 빼앗는 것이 문제이다. 나아가 자유를 빼앗겼으면서도 그 사실을 인식하지 못한 채 살아가는 것이 더 큰 문제이다. 특히 한국 사회와 같이 집단의식이 강한 사회일수록 푸코가 비판한 규율적 인간으로 살아가기 쉽다. 학교생활을 한번 생각해 보자. 쉬는 시간이 되면 복도를 뛰어다니거나 시끄럽게 소리를 지르는 학생들이 있다. 특히 저학년의 쉬는 시간은 더 소란스럽다. 이때 선생님은 뛰어다니거나 소리를 지르는 학생들을 혼을 내거나 벌을 세우기도 한다. 수업시간에도 정자세로 앉아 있어야 하는 학생들이 쉬는 시간마저 조용하게 쉬어야 하는 것이다. 학년이 높아질수록, 뛰어다니거나 소란을 피우는 학생들은 줄어든다. 선생님의 야단이나 벌칙이 없어도 스스로 알아서 조용한 학생이 된다. 학생들은 스스로 성숙해졌다고 생각하겠지만, 이것은 학교가 만들어 놓은 규칙을 자신도 모르게 내면화한 결과이다. 그러면서 우리는 예의범절을 지키는 모범생이 되는 것이다. 마치, 애초부터 예의범절을 몸에 지녔던 사람처럼 말이다. 그러나 이러한 우리 자신의 모습은 마음대로 행동할 수 있는 자유를 포기한 것은 아닐까?

2) 시민에게 요구되는 자질

시민 사회는 시민들이 만들어 간다. 시민 사회가 발전하기 위해서는 시민 한 사람 한 사람이 바른 의식과 태도를 가져야 한다. 오늘날 민주 시민에게 요구되는 바람직한 자질로 다음과 같은 것들을 들 수 있다.

첫째, 자율의 정신과 태도이다. 자율이란 어떤 일을 스스로 해 나가는 것을 말한다. 시민의 자율적인 삶은 시민 사회를 움직이고 발전시키는 기본 바탕이 된다.

둘째, 합리적 정신과 태도이다. 시민은 이성을 가진 존재로서 어떤 문제를 해결하는 과정에서 합리적 판단과 결정을 해야 한다. 이 과정에서 상대방과 갈등과 분쟁이 생기더라도 폭력을 사용하여 자신의 뜻을 관철하는 것이 아니라 대화와 토론을 통하여 이성적으로 해결하도록 해야 한다. 합리적인 정신과 태도를 가진 사람은 정부가 하는 일이나 사회의 일 중 잘못되었다고 생각하는 것을 지적하여 이를 고쳐 나가기 위해 노력해야 한다.

— 중학교 《사회》 중에서

중학교 《사회》 교과서 역시 성숙한 시민의 자율적인 정신과 태도, 그리고 이성을 통한 합리적인 정신과 태도가 중요하다고 설명한다. 교과서에 나와 있는 것처럼 특히 합리적인 정신과 태도는 중요하다. 폭력이 아닌 대화와 토론을 통해서 이성적으로 문제들을 해결해 나가는 것 역시 중요하다. 그렇지만, 합리적인 정신과 태도는 중요한 한 가지를 놓치고 있다. 그것은 사회 구성원들 사이에 존재하는 '권력'의 문제이다. 예를 들어, 나이가 많은 사람과 어린 사람 간에 어떤 문제가 있다고 해 보자. '이성'을 바탕으로 하여 '합리적인 판단과 결정'을 내리기가 쉬울까? 청소년들은 어떤 문제에 대해서 부모님이나 선생님과 같은 어른들과 대화를 하면서, 종종 '말대답 하지 마라'는 지적을 듣거나, '너는 매사에 왜 그렇게 생각이 삐딱하냐?'라는 말을 듣곤 한다. 청소년 나름대로의 생각을 말하는 것이지만, 어른들의 기준으로 판단해 버리고 마는 것이다. 실제로 사회는 합리성을 바탕으로 해야 하지만, 그 속에서는 개개인들 간의 보이지 않는 권력 관계가 항상 존재한다. 어른들의 세계 역시 마찬가지이다. 회사의 사장이 '어떤 의견이든지 기탄없이 말해

이성(理性, reason)

역사적으로 인간의 이성이 모든 것을 지배하는 힘이 된 것은 철학자 데카르트(Descartes)의 '나는 생각한다. 고로 존재한다(Cogito, ergo sum)'는 주장에서 시작되었다. 데카르트 이전에 인간의 중심에는 신(神)이 있었고, 신(神)이 인간을 지배했다. 데카르트 이후 즉, 근대라는 시간이 시작되면서 이성을 바탕으로 하여 과학기술의 발전, 현대 민주주의, 산업혁명, 자본주의 등이 탄생하고 발전해 왔다. 그러나 이러한 발전 뒤에는 대규모 전쟁과 같은 폭력, 극심한 환경문제와 전 세계적인 빈부 격차 등의 문제들이 나타났고, 현재에도 계속되고 있다.

보라'고 했다고 해서, 평소 사장의 회사 운영 방침에 대해 솔직하게 말할 수 있는 사원이 과연 몇 사람이나 될까? 합리적인 대화나 타협은 사람들 사이의 보이지 않는 힘의 관계, 즉 권력 관계가 존재하는 한 말 그대로 교과서에만 나올 수 있는 말일 뿐이다. 인간은 이성을 가지고 합리적으로 판단하고 행동하는 존재라는 것은 '그래야만 한다'는 당위적인 말에 지나지 않는다. 푸코가 인간의 이성과 합리성을 의심하고, 보이지 않는 권력을 비판하고 있는 것은 바로 이 때문이다.

3. 기출 문제에서 만난 푸코

1)정보사회의 빅브라더(Big Brother)

푸코의 사상은 현대 사회 전반에 영향을 끼쳤다고 해도 좋을 만큼, 중요하고 광범위하기 때문에 여러 논술 고사에서 자주 출제된 바 있다. 푸코의 '지식과 권력의 관계'에 대한 문제나 '이성 중심적 사고관'에 대한 푸코의 비판은 종종 기출 문제나 예상 문제에 등장하곤 한다. 그 중에서도 특히 논술 고사에서 자주 다루어지는 것은 푸코의 '규율—권력'의 문제이다. 1999년 연세대 정시 논술과 2006년 숙명여대 수시 논술에서 출제된 바 있고, 2007년 서강대 수시 논술의 경우 푸코의 《감시와 처벌》이 직접 인용되어 출제되었다.

　푸코의《감시와 처벌》에 나오는 원형 감옥인 '판옵티콘'은 감옥 내의 규율을 스스로 내면화하여 교화되는 죄수들을 보여준다. 감시탑 위에 있는 보이지 않는 간수들의 시선에 감시당하는 동안 죄수들은 스스로 말을 잘 듣는 사람이 되어 가는 것이다. 감옥 안의 규율을 잘 지킨 죄수는 형기가 다해서 감옥을 나가면, 사회의 규율도 잘 지킬 수 있게 된다. 그런데, 이러한 모습은 감옥 안의 죄수들에게서만 볼 수 있는 것이 아니다. 현대인들은 하루 평균 30회 이상 감시 카메라에 노출된다는 보고가 있었다. 공간을 이동할 때마다, 자신의 행동이 누군가에게 보이고 있다는 얘기다. 보는 사람은 누구이고, 왜 봐야 하는 것일까? 그리고 나를 바라보는 누군가가 항상 내 주위에 있다면, 나는 마음대로 행동할 수 있을까? 감시 카메라는 엘리베이터나 길거리와 같은 공공장소뿐만 아니라 학교나 학원, 사무실과 공장 등 우리가 가는 대부분의 공간에 있다. 예를 들어, 공장의 감시 카메라는 누가 보는 것이고, 왜 보는 것일까? 당연하게도 공장을 운영하는 사람이 노동자들의 작업을 보면서, 누가 게으름을 피우는지 누가 열심히 일하는지를 감시하는 것이다. 물론, 노동자들은 자신을 바라보는 시선을 느끼면서 열심히 일하게 된다. 문제는 노동자들은 시간이 지날수록 귀찮고 두려웠던 감시 카메라의 시선을 잊어버린 채, 마치 애초부터 그랬던 것처럼 공장 주인의 기대에 걸맞은 훌륭한 일꾼이 되어 살아가게 된다는 것이다. 쉬지 않는 기계처럼 말이다. 이러한 감시의 시선은 CCTV만이 아니라, 인터넷 공간에도 존재한다. '개똥녀 사건' 처럼 어느 누구라도 전혀 알지 못하는 사람들에 의해 욕을 먹게 될 수도 있다. '인터넷 실명제' 가 실시된다면, 악플이 줄어들게 되겠지만 동시에 자유로운 의견도 줄어들 위험이 생긴다. 우리는 발전한 사회에서는 인간의 자유도 더욱 넓어진다고 믿지만, 실제로는 오히려 개인을 감시하고 통제하는 시선이 늘어난다는 것을 알 수 있다. 사회가 요구하는 규율은 훨씬 더 촘촘해지고, 아무도 그것에서 자유로울 수 없게 되는 것이다. 원형 감옥은 감옥이 아니라, 우리가 살아가고 있는 사회 그 자체인지도 모른다.

빅브라더(Big Brother)
1949년 영국의 소설가 조지 오웰이 《1984년》이라는 작품에서 사용한 말이다. 《1984년》은 조지 오웰이 예전 사회주의 국가였던 소련의 스탈린 독재 체제를 비판하기 위해서 쓴 소설이다. 소설 속의 '빅브라더' 는 전체주의적 경찰국가를 지배하면서 사람들의 모든 일상을 감시하는 지배자를 부르는 말이다. 이후 소설의 영향으로 '빅브라더' 는 전체주의, 국가통제주의 등을 나타내는 용어로 사용된다. 오늘날에는 사람들의 행동을 감시하는 CCTV와 같은 감시 체제를 일컫는 말로 사용된다.

시놉티콘(Synopticon)
판옵티콘에서 파생된 말로, '동시에 본다(Syn+opticon)' 의 합성어이다. 판옵티콘의 경우 소수의 권력이 다수를 감시하는 것이라면, 시놉티콘은 소수와 다수가 서로 감시하는 것을 의미한다. 인터넷과 같은 정보통신기술의 발달로, 권력을 가지지 않은 사람들도 권력을 가진 사람들을 거꾸로 감시할 수 있게 된 것이다. 그렇지만, 이러한 긍정적인 기능만이 있는 것은 아니다. 정보통신기술의 발달로 인해 사람들은 시간과 공간에 상관없이 감시하고 감시당할 수 있게 된 것이다. 일반적으로 시놉티콘이라는 말은 '상호감시', '전자감시' 등을 의미한다.

실 전 논 술

논술 문제

제시문 〈가〉에 나오는 감옥과 〈나〉에 나오는 학교의 공통점을 찾고, 이에 대한 자신의 생각을 비판적으로 논술하시오.

가 "옛날에는 죄에 따라 사형을 시키거나 감옥에 가두는 것을 왕이 결정했어요. 바로 권력을 가진 것이죠. 이런 왕의 권력을 지금은 재판관들이 가지고 있고요. 왕이나 재판관이 형벌을 결정 내릴 때 사형시키는 것보다 감옥에 보내는 것이 처벌을 약하게 하는 것이겠죠?"

"그렇죠. 죄가 무거운 사람은 사형시키고, 죄가 가벼운 사람은 감옥에 보내는 것이잖아요. 그러니까 감옥에 가는 것이 처벌을 약하게 하는 거죠."

세영이가 자신 있게 말했습니다.

"그래요. 그럼 사형을 당해야 할 사람이 감옥에 가면, 그 사람은 권력을 가진 사람에게 고마워할까요? 아니면 미운 마음이 생길까요?"

"그거야 당연히 고마운 마음이 생기죠!"

학생들은 합창이라도 하듯 동시에 말했습니다. 선생님은 빙그레 웃으면서 설명했어요.

"그렇겠죠. 푸코는 바로 이 점을 중요하게 생각했어요. 가벼운 형벌을 받고 감옥에 가는 사람은 권력을 가진 사람에게 고마운 마음을 갖게 될 거에요. 그리고 그 사람은 자신도 모르게 권력에 복종하게 되는 것이죠."

"아…… 그러니까 푸코는 감옥이야 말로 백성들을 확실하게 틀어쥘 수 있는 분명한 권력의 수단이라고 생각한 거네요? 그러니까 일본 경찰이 독립투사를 감옥에 가둔 것도 권력을 부리기 위해서죠. 함부로 죽였다간 독립군에 대한 다른 정보를 얻을 수 없잖아요."

상수는 주희 누나에게 들은 푸코의 '권력'을 떠올리면서 얘기했습니다. 왠지 이번에는 자기의 말이 딱 맞을 거 같았어요. 혼자서 히죽히죽 웃는 상수 얼굴을 보던 동완이가 슬쩍 상수를 밀었어요. 상수는 계속 얘기했어요.

"그리고 사람을 감옥에서 취조하고 고문시키다가 풀어 주면 일본 경찰에 대한 고마운 마음이 들어서 일본 권력에 앞장설 수도 있고요."

"그래요. 괄목 초등학교에는 똑똑한 친구들이 많네요. 사람들은 법을 어기면 감옥에 가거나 다른 처벌을 받게 되잖아요. 미셸 푸코는 법을 어기면 감옥과 처벌이라는 것 때문에, 사람들이 법을 어기지 않는다고 본 거예요. 그런 과정을 통해서 사람들은 규율을 지키는 사람, 혹은 규율을 지키는 사회를 만들어야 된다는 생각을 하게 되는 거예요."

―《푸코가 들려주는 권력 이야기》 중에서

🈯 규율에 따른 처벌은 일탈행위를 없애도록 한다. 그 벌은 처벌이 아니라 본질적으로 교정하는 역할을 해야 한다. 예를 들어 학교에서의 처벌은 벌로 숙제를 해 오는 것인데, 이것은 교사에게 가장 온당하고, 부모에게는 아주 유익하고 만족스러운 벌이다. 덕분에 "아이들의 과오를 통해 결점을 고치며 발전할 수 있는 수단을 이끌어"내게 된다. 예를 들어, "써야 할 모든 것을 쓰지 않았거나, 열심히 쓰지

않은 아이들에게는, 필기 혹은 암기숙제를 부과할 수 있을 것이다." (······)

교사는 "가능한 한 징벌을 행사하지 않도록 해야 한다. 오히려 벌을 주기 보다는 상을 자주 주도록 애써야 한다. 왜냐하면 게으른 자는 부지런한 자들과 마찬가지로 징벌의 두려움에 의해서라기보다는 포상을 받고 싶은 행각에 의해서 더 고무되기 때문이다. 그러한 이유로 교사가 부득이 징벌을 해야 하는 경우라도, 아동에게 징벌을 내리기에 앞서 가능하다면, 아동의 마음을 휘어잡는 일이 최대의 수확이 될 것이다."

— 푸코, 《감시와 처벌》 중에서

생각 쓰기

생각 쓰기

가 벤담(Bentham)의 '일망(一望) 감시시설'(판옵티콘, panopticon)은 이러한 조합의 건축적 형태이다. 그 원리는 잘 알려져 있다. 주위는 원형의 건물이 에워싸여 있고, 그 중심에는 탑이 하나 있다. 탑에는 원형건물의 안쪽으로 향해 있는 여러 개의 큰 창문들이 뚫려 있다. 주위의 건물은 독방들로 나뉘어져 있고, 독방 하나하나는 건물의 앞면에서부터 뒷면까지 내부의 공간을 모두 차지한다. 독방에는 두 개의 창문이 있는데, 하나는 안쪽을 향하여 탑의 창문에 대응하는 위치에 나 있고, 다른 하나는 바깥쪽에 면해 있어서 이를 통하여 빛이 독방을 구석구석 스며들어 갈 수 있다. 따라서 중앙의 탑 속에는 감시인을 한 명 배치하고, 각 독방 안에는 광인이나 병자, 죄수, 노동자, 학생 등 누구든지 한 사람씩 감금할 수 있게 되어 있다. 역광선의 효과를 이용하여 주위 건물의 독방 안에 감금된 사람의 윤곽이 정확하게 빛 속에 떠오르는 모습을 탑에서 파악할 수 있는 것이다. (……)

주위를 둘러싼 원형의 건물 안에서는 아무 것도 보지 못한 채 완전히 보이기만 하고, 중앙부의 탑 속에서는 모든 것을 볼 수 있지만 (아래의 죄수들에게는) 결코 보이지는 않는다.

— 푸코, 《감시와 처벌》 중에서

나 서울 ○○구 A전자 공장에서는 10여 명의 직원이 천장에 달린 카메라 3대의 감시를 받으며 제품 검사를 하고 있었다. 같은 시각 서울 강남에 있는 본사 사장실의 컴퓨터 화면에는 공장 상황이 인터넷을 통해 실시간으로 보여지고 있었다. 현장→카메라→디지털 저장 장치→인터넷→서버→인터넷→PC 단말기로 연결되는 신종 CCTV 시스템은 시간과 공간의 구애를 받지 않는 것이 특징이다. PC 단말기를 실시간으로 24시간 내내 볼 수 있어 감시·보안 장치에도 '디지털 혁명'이 일어나고 있는 것이다. 이 장비가 설치된 공장의 직원 김 모 씨는 "처음 6개월 동안은 본사에서 언제 어느 순간 나를 관찰할지 몰라 발가벗겨진 느낌이 들었다"고 말했다.

— 푸코, 《감시와 처벌》 중에서

생각 쓰기

생각 쓰기

case 3 제시문 〈가〉와 〈나〉에 나오는 여일이라는 사람과 돈키호테는 다른 사람들과는 다른 생각을 가지고 말하고 행동한다. 제시문 〈다〉에 나오는 종합병원에서는 이 두 사람을 어떻게 했을지 설명하고, 종합병원의 행위에 대하여 어떻게 판단할 수 있는지 자신의 생각을 논술하시오.

가 여일 : 뱀이 나와 뱀이 나온다니~ 여그 뱀 나오잖아~.

장영희 : 와 좀 전에 이쪽으로 휙 하고 지나간 거이 임자래?

여일 : 봤나? 맞아~. 난 빨라, 난 참 이상했어. 숨도 안부치고 있잖어. 이래 이래 손을 빨리 막 휘저으믄 다리도 빨라지미, 다리가 빨라지믄 팔은 더어 빨라지미…… 그…… 땅이 뒤로 막 지나가니……난……참…… 빨라 !

리수화 : 그기 무슨 소리가, 손이 기카는데 다리가 왜 빨라…….

장영희 : 상위 동지…… 꽃 꽂았습네다.

— 영화 《웰컴 투 동막골》 중에서

나 그로부터 며칠 뒤 돈키호테는 언덕 위에 갑자기 수백 명이나 되는 거인들이 가로막고 서 있는 모습을 발견하고 깜짝 놀랐다.

"보았느냐, 산초? 하늘이 우리의 소망을 이루어 주시는구나! 저 거인들을 몰살시켜 이 땅에 퍼져 있는 악의 씨를 제거하는 것이 신에 대한 봉사가 아니겠느냐!"

산초는 당황에서 눈을 비비며 주위를 둘러보았다.

"잠깐만요. 저건 밀을 가루로 빻는 풍차인뎁쇼."

"바보 같은 소리! 너에겐 저 긴 팔이 보이지 않느냐?"

"그건 팔이 아니라 풍차의 날개지요. 그게 바람의 힘으로 돌아가 맷돌을 움직이는 거잖아요."

돈키호테가 가엾다는 듯 산초를 쳐다보았다.

"하긴 무리도 아니지. 너에게는 모험심이 전혀 없으니 말이다. 그렇지만 저건 틀림없는 거인이다. 무서우면 소리 내서 기도라도 하고 있거라. 나 혼자서 저놈들과 멋진 승부를 벌일 테니."

산초가 말리는 것도 듣지 않고 돈키호테는 창을 번쩍 쳐들고 여윈 말을 채찍으로 내리쳤다. 때마침 강한 바람이 불어와 풍차가 돌기 시작했다. 돈키호테는 목청이 터져라 소리를 지르며 쏜살같이 돌진했다.

"도망가지 마라. 이 비겁한 놈들아! 이 훌륭한 기사가 단번에 무찔러 주겠다!"

돈키호테는 마음속으로 둘시네아 양에게 자기를 위기에서 지켜 달라고 기도했다. 그러면서 전속력으로 돌격해 가 맨 앞에 있는 풍차를 창으로 냅다 찔렀다. 그 순간, 창이 풍차에 휩쓸려 들어가 산산조각이 나고 말았다. 엎친 데 덮친 격으로 놀란 로시난테가 우뚝 서 버리는 바람에 내동댕이쳐진 돈키호테는 언덕 아래로 데굴데굴 굴러 떨어졌다.

— 세르반테스, 《돈키호테》 중에서

🄳 "그럴 수 있겠다. 드라마에 정신병원 환자가 나왔는데 힘이 너무 좋아서, 아저씨 네 사람이 힘을 합쳐 겨우 침대에 눕히고 손발을 못 움직이게 묶었잖아."

상민이는 드라마에서 봤던 장면을 그대로 설명하였습니다. 그러자 상수는 불쑥 끼어들며 말했습니다.

"하지만 조용하게 가만히 있는 환자들도 많잖아. 만날 웃고 다니고, 침대에 쪼그려 앉아가지고 멍하게 있는 모습도 봤는걸?"

상민과 상수는 서로 자신이 본 장면만을 말하면서 티격태격하고 있었습니다. 그때 다시 주희 누나가 둘을 갈라놓으면서 말했습니다.

"바로 그런 점을 18세기 종합병원에 근무하는 사람들은 이용한 거야."

"어떻게?"

"아까 내가 말한 미셸 푸코란 사람 있지? 그 사람이 말하길 18세기 종합병원에서는 정신병 환자를 일반사람들에게 구경시키고 돈을 받았다고 하더라고."

"뭐? 정신병 환자를 구경꺼리로 만들었다고? 어쩜, 어쩜 그럴까? 나쁜 사람들이네. 주희야? 사실이야? 동물원에서 동물 보는 것처럼 일반사람들이 정신병 환자를 봤다는 거니?"

할머니 다리를 주무르고 계시던 엄마가 주희 누나의 얘기를 듣고 흥분하면서 말했습니다. 아이들의 대화에 관심 없는 줄 알았는데 안 그런 척 하면서 다 듣고 있었던 게지요. 주희 누나도 엄마의 반응에 살짝 놀란 것 같았습니다. 엄마가 얼굴까지 빨갛게 되어서 흥분된 목소리로 말하니까 말입니다.

"숙모. 흥분은 좀 가라앉히시고요~. 안타깝지만 사실이에요. 푸코는 당시 한 해 동안 약 10만 명 정도가 정신병 환자를 보기 위해서 종합병원을 방문했다고 했어

215

요. 그것도 그냥 방문이 아니라 정신병 환자를 보기 위해서 돈까지 내고 말이죠."

"와~ 정말 너무 했다."

"푸코가 병원의 권력이라는 말을 할 만한 것 같아."

— 《푸코가 들려주는 권력 이야기》 중에서

생각 쓰기

실 전 논 술

예시 답안

case 1 제시문 〈가〉에서는 사형과 같은 처벌에서 벗어나 감옥에서 얌전히 규율을 따르는 죄수들의 모습이 나온다. 육체적으로 고통을 느낄 수밖에 없는 체벌보다 감옥에서 얌전히 규율을 따르기만 하면 안전했기 때문에, 글에 나오는 것처럼 죄수들은 자신을 가둔 사람들에게 오히려 감사했을 것이다. 제시문 〈나〉에 나오는 학생들처럼 말이다. 학교에서 엉덩이나 종아리를 맞는 것보단 숙제를 열심히 해 가는 벌칙이 더 나을 수 있다. 또한 벌을 받기보단 상을 받는 것이 훨씬 더 매력적일 수 있다. 공부를 더 잘 할 수도 있고, 어른들에게 착한 학생으로 인정을 받을 수도 있기 때문이다.

하지만, 푸코가 비판했듯이 감옥이나 학교의 세련된 처벌 방식은 우리의 자유를 빼앗는 것일 수도 있다. 체벌로 인한 육체적 고통이 없어진 대신 훨씬 더 깊숙하게 우리의 일상을 규칙에 맞게 살아야만 하기 때문이다. 죄수들이 감옥의 규칙을, 학생들이 학교의 교칙을 열심히 따르는 것이 반드시 나쁜 것만은 아닐 것이다. 죄수들은 교화되고, 학생들은 모범적으로 되기 때문이다. 하지만, 자신의 의지를 꺾고 자유로운 생각과 행동을 버리는 것은 훨씬 더 무서운 결과를 가져올 수도 있다. 인간만이 가지고 누릴 수 있는 '자유'를 빼앗기기 때문이다.

case 2 〈가〉에 나오는 일망 감시시설이라는 것은 감시탑 위의 감시자가 죄수들을 내려다보면서 감시하는 시설을 말한다. 감시탑 위의 감시자를 아래 원형 감옥에 있는 죄수들은 볼 수 없기 때문에, 감시자가 있건 없건 간에 열심히 감옥의 규칙을 지키면서 살아가게 될 것이다. 처음에는 규칙을 지키는 것이 귀찮고 어렵겠지만, 차츰 시간이 지나면 익숙해질 것이다. 처음 초등학교에 입학한 천방지축 같던 일학년생이 학년이 높아질수록 의젓하고 얌전한 모범생이 되어가는 것처럼 말이다.

〈나〉에 나오는 공장의 CCTV 역시 마찬가지이다. 공원 김 모 씨가 말하는 것처럼, 처음 6개월은 회사에서 감시할까 봐 두렵겠지만, 이후에는 아주 열심히 일하는 근면한 노동자가 될 것이다. 열심히 일하지 않고, 게으름을 피우거나 딴 짓을 하는 노동자들에게 계속 월급을 주면서 일하게 하는 공장은 없을 테니까 말이다.

열심히 규칙을 지켜 죄수가 모범 시민이 되고, 게으른 노동자가 근면한 일꾼이 되는 것은 사회의 질서 유지와 경제발전에 도움이 될 것이다. 하지만, 누군가가 나를 끊임없이 감시한다는 것 때문에 그렇게 변화하는 것은 사실 무서운 일이다. 사람은 가끔은 제멋대로 행동하기도 하고, 게으름을 피우기도 하는 존재이기 때문이다. 자신도 모르게 규칙을 따르고 규율적인 인간이 되는 것은 푸코가 비판한 것처럼 일상의 자유와 바꾼 대가이다.

case **3**   제시문 〈가〉와 〈나〉에 나오는 여일과 돈키호테는 한 마디로 이상한 사람들이다. 팔을 휘저으면 몸이 앞으로 달려 나가는 것인데, 땅이 뒤로 간다고 말하기 때문이다. 그리고 풍차를 보고 거인이라고 생각하는 것도 이상하다. 정상적인 눈으로 보면 분명히 풍차일 텐데, 그것을 보고 거인이라고 무찌르려고 한다니 말이다. 하지만, 좀 이상하고 다를 뿐 많이 위험해 보이지는 않는다. 하지만 〈다〉에 나오는 종합병원이라면 분명히 이 사람들을 감금시켜서 사람들에게 구경시켰을 것이다. 왜냐하면, 대부분의 사람과 다르게 이성적으로 생각하지 않기 때문이다.

정신병원이라고 생각하면 대부분의 사람들은 두려움을 느낀다. 스트레스가 많고, 우울증 환자가 늘어나지만, 여전히 사람들은 정신과 치료를 꺼려한다는 것을 보면 알 수 있다. 주위에서 누가 정신과 치료를 받았다고 하면 대부분 이상한 사람으로 취급하는 것도 그 증거이다. 사람들은 대부분의 사람들과는 달리 자신이 '비정상'인 사람이 될까봐 두려워하는 것이다. 그 두려움 때문에 사람들은 열심히 이 사회가 만들어 놓은 '이성적'이고 '정상적'인 규칙과 규율에 따라 열심히 살아가는 것이다. 이상한 사람 취급하는 사람들의 시선이 우리가 자유를 누리면서 살아갈 수 있는 권리보다 훨씬 더 강하기 때문이다.

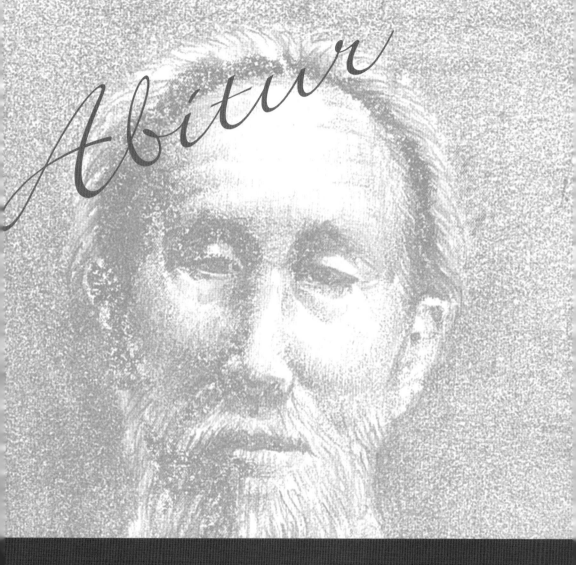

철학자가 들려주는 철학이야기 077

박은식이 들려주는 진아 이야기

저자_정명환

연세대학교 경제학과를 졸업하고 종로학원 강사로 활동하고 있다. 저서로는《새로운 언어 시작하기》,《언어와 논술의 만남》,《뻔뻔통합수리논술》(감수) 등이 있다.

박은식의
'진아眞我'

박은식 주요 개념

1. 박은식을 만나다

1) 박은식은 어떤 시대에 살았나?

박은식은 대한제국 말기 일제 강점기 시대에 활동한 애국계몽가이자 언론인이며, 민족사학자이자 독립운동가이다. 박은식은 1859년 황해도 황주에서 태어났고, 서당 훈장이었던 아버지 박용호 밑에서 성리학과 과거시험을 준비하기 위해 공부하였다. 그리고 1890년에 서울에 내려와 사회활동을 적극적으로 시작하였으며, 성리학에서 양명학을 공부하면서 사상적 변화를 가져오게 되었다. 박은식은 정통 성리학을 공부하긴 했지만 성리학은 서구 문물과 사상을 받아들여야 할 시기에 맞지 않고, 시대적 어려움을 극복하는 데 어렵다고 생각하였다. 그러나 양명학은 당시 대한제국이 가지고 있던 민족문제를 해결하고, 서양 사상을 받아들이며 새로운 학문과 새로운 지식을 섭렵할 수 있다고 보았다.

그렇다면 박은식은 어떤 시대에 살고 있었기에 기존의 성리학을 비판하고 근대 사회의 변화에 맞게 유학도 변해야 한다고 하였을까?

위에서도 설명했듯이 박은식은 일제강점기, 대한제국의 암흑시대를 살아온 인물이다. 1894년은 동학농민운동이라고도 부르는 갑오농민전쟁이 일어난 해이다. 갑오농민전쟁과 갑오개혁을 겪고 벼슬을 그만둔 후 독립협회에 가입하였다. 그리고 〈황성신문〉이 창간되자 박은식은 신문의 편집과 기사 방향을 책임지는 역할을 하였다. 이후 〈대한매일신문〉과 그 외 기관지에서 언론인으로 활동하면서 민중들에게 계몽운동을 펼쳐나간다. 그러나 이런 민중계몽운동과 언론·교육활동도 1910년 국권을 일본에게 빼앗기고, 일제강점기가 시작되면서 접을 수밖에 없었다. 그리고 나서 박은식은 만주로 망명을 가서 나라를 구하기 위해 여러 사람들과 힘을 모았다. 그곳에서 나라를 되찾기 위해 국사 연구를 하였고, 올바른 역사 연구에 관한 공부를 시작하였다. 그리고 1915년 상하이에서 《한국통사》를 만들었다. 박은식은 자신의 역사 연구에서 일제에 대한 저항정신이 잘 나타나 있다. 일제에게 국권을 빼앗기고 물질적인 것이 사라졌다 하더라도 민족문화를 다스리는 정신(혼)을 빼앗기지 않은 것이 중요하다고 한다. 그래서 민중들에게 일제에 저항하는 독립투쟁정신을 고양시키고자 하였다. 빼앗긴 국권을 되찾고 독립을 하기 위해 유교사상 속에서 민족정신을 찾아야 하고, 민족정신을 민중들에게 심어주기 위해서는 유교사상 중에서도 양명학이 종교로 되어야 한다고 주장하였다.

1919년 4월 13일은 중국 상하이에서 대한민국 임시정부의 수립이 선포

된 날이다. 박은식은 대한민국 임시정부 수립 선포 이후 9월에 합류하였다. 박은식은 대한민국 임시정부가 있었던 1919년에서 1945년 중 7년 동안 지도자로 활동하면서 빼앗긴 나라를 되찾으려는 사명감으로 휩싸여 있었다. 나라를 되찾고 발전시키기 위해서는 외세의 힘이 아니라 우리나라 스스로 힘을 길러야 함을 계속 강조하였다. 즉 국권을 빼앗기고 외세에게 핍박을 받고 있는 상황에서 경제를 개발시키고 교육을 통해 나라의 힘을 키우자는 운동을 펼쳤다.

고구려는 중국땅? 박은식이 무덤에서 일어날 일!

중국은 2002년부터 중국 안에서 일어난 모든 역사를 중국의 역사로 만들기 위한 역사 연구를 하고 있다. 이를 동북공정이라고 한다. 동북공정에 따르면 현재 중국의 국경 안에서 일어났던 고구려와 발해는 모두 중국의 땅이자 중국의 역사가 되어버린다. 중국의 동북공정으로 인해 고구려와 발해는 한민족이자 우리의 역사로 알고 있었던 정신이 무너질 수 있다. 그래서 우리나라도 2004년부터 고구려역사재단을 설립하여 중국의 역사 왜곡에 맞서고 있다. 박은식은 만주로 망명하여 역사 연구를 하면서 조선족과 만주족은 단군의 자손이며, 이를 대동민족이라 하였다. 이는 박은식이 중국 중심의 역사 인식에서 탈피하여 고구려 중심의 역사 인식을 가지고 있음을 보여준다. 박은식의 역사 인식은 당시 대한제국이 일제강점기로 국권을 상실한 상태에서 민족의 자주독립을 강조하고자 한 현실에서 나타난다. 그리고 박은식은 1919년 3·1운동 기념사에서 '민족 조상의 내력을 알지 못하면 타민족에서 동화된다', '그 광활한 영토를 상실하였으므로 지금의 우리 인구가 1억 이상이 될 것을 겨우 2천만에 그치고 있으니 이 얼마나 아쉬운 일인가. 자원이 없는 나라는 사람이 곧 귀한 인적 자원임을 직시해야 한다'고 했다. 이는 고구려와 발해가 우리 역사 속에서 가지는 정통성과 위상을 보여주고 있다.

2) 성리학을 버리고 양명학으로 — 박은식이 변심한 까닭은?

양지와 진아를 통해 생각해 보는 근대 한국의 진정한 주체는?

박은식은 본래 조선의 전통 사상인 성리학에 심취한 인물이었으나 일제 강점기를 보내며 양명학으로 전환하였다. 왜 그는 성리학을 버리고 양명학을 받아들였을까? 무엇이 그의 생각을 바꿔 놓았을까?

강대국이 약소국을 침탈하고 자신의 세력 확장에 이용하는 제국주의 시대를 보내면서 박은식은 우리나라가 지금까지 신념으로 삼던 성리학으로는 더 이상 세계 흐름에 대처할 수 없다고 생각했다. 성리학은 사회가 변화하는 흐름을 받아들이려 하지 않았다. 원전에서 한 글자라도 다르게 해석하면 이단이라고 배격할 만큼 학문 풍토가 경직되어 있었고, 서양의 문화에 대해서도 인간의 도덕성을 추구하는 것이 아니라 욕구만을 채우려 한다며 업신여기고 거부하였다. 그리하여 서양 오랑캐들을 차단하고 만고불변의 진리인 성리학을 지키자는 위정척사파 등의 보수 세력도 생겨났다.

하지만 뛰어난 근대 문물로 무장한 서구 열강이 세력을 넓혀가는 추세를 볼 때, 근대화는 더 이상 피할 수도, 무시할 수도 없는 세계적 흐름이었다. 도덕성을 가장 높은 가치로 추구하며 다른 것은 배격하는 성리학은 이러한 시대적 흐름에 대처할 수 없었다. 외세의 침략에 지지 않고 살아남기 위해서는 우리도 스스로를 지킬 수 있는 힘을 가지고 더 강해져야 했다.

그렇다면 더 좋고 뛰어난 서양의 근대 문물을 무작정 받아들여서 근대화를 이루어야 하는 것일까? 박은식은 그렇게 생각하지 않았다. 당시 열강들은 문명화를 미끼로 하여 약소국에 침입해 들어와 침략의 구실을 마련하고 있었다. 세계 흐름에 뒤처지지 않는 강한 나라가 되기 위해서는 서양의 신식 문물을 받아들여야 했지만, 문명화가 침략으로 이어지지 않게 우리 스스로 현명하게 판단하고 대처해야 한다는 어려움이 있었다.

이러한 갈림길에서 박은식은 어떤 선택을 했을까?

그는 유학의 비판적 성찰을 통해 근대 사회에서 유학이 할 수 있는 제 역할을 찾아야 한다고 보았다. 그래서 양명학을 대안으로 제시하였다. 중국 중심적 성리학의 한계를 극복하면서도 우리의 주체성을 잃지 않고 근대화를 이루어 나가기 위해서는, 우리 것을 지키면서도 받아들일 것은 받아들일 줄 아는 자세가 필요했다. 따라서 유학의 테두리 안에서 보다 실리적이고 현실적인 측면을 강조하는 양명학을 택한 것이다. 다양한 세계 문물을 받아들이되, 그 중심엔 우리의 문화와 정신을 기준으로 다른 것들을 판단하는 자가 정신이 있어야 하고, 그래야만 다양한 것들 가운데 올바른 선택을 할 수 있다고 여겼다.

일본에게 나라를 빼앗긴 일제 강점기에 살아남기 위해선 두 가지 방법이 있었다. 하나는 독립운동을 하여 나라를 되찾는 것, 또 하나는 일본에게 붙어 친일을 하는 것이었다. 어떤 것이 올바른 길이냐 하는 것은 우리 마음속에 있는 양지(良知)를 통해 알 수 있다.

양지는 양명학에서 나온 용어로, 무엇이 옳고 그른지, 그리고 옳은 것을 하라고 말하는 마음속의 소리이다. 양지는 누구나 태어날 때부터 가지고 있는 선천적인 것이다. 양지는 우리가 나쁜 행동을 할 때 그것이 부끄러운 일이라는 것을 알려주는 마음속 주인이다. 양지가 있기 때문에 우리는 옳고 그름을 구분하여 옳은 것을 실천할 수 있다. 친일파들이 '난 친일을 한다'고 당당하게 말할 수 없는 이유도 바로 양지가 그것은 부끄러운 일이라고 알려주기 때문이다.

마음의 주인인 양지에 따라 사는 사람을 박은식은 참된 나, 진아(眞我)라고 하였다. 그리고 진아가 바로 근대 사회의 주체가 되어야 한다고 주장했다. 양지를 가리거나 은폐하지 않고 있는 그대로 드러내며 사는 사람, 선택의 갈림길에 섰을 때 주저 없이 양지의 소리를 따라 실천할 수 있는 도덕적인 사람이야말로 우리나라의 진정한 주인이 되어야 한다고 하였다.

이러한 진아를 제국주의 시대 우리나라의 상황에 적용시킬 때 민중의 역할이 중요해진다. 성리학적 지식에 사로잡혀 있는 기존의 양반 계급은 자신들이 쥐고 있는 권력을 잃지 않기 위해 진아를 외면하고 있었다. 따라서 박은식은 권력이나 명예로부터 자유로우며, 양지를 있는 그대로 실현할 수 있는 민중이야말로 당시 우리나라를 이끌어나갈 수 있는 주체로 적합한 이들이라 보았다.

사회진화론

-약육강식, 적자생존의 자연법칙이 인간에게도?

박은식이 살던 당시에는 사회진화론이라는 학설이 유행하였다. 사회진화론은 적자생존의 자연법칙과 마찬가지로 인간의 사회에서도 강한 자가 살아남고 약한 자는 도태한다는 이론이다. 이는 서양에서 먼저 확산되었다. 서양은 보다 강한 나라로 발전하기 위해 약자들을 배격하기 시작했다. 백인이 흑인을 차별하거나 히틀러가 유대인 말살정책을 편 것도 이러한 맥락에서 벌어진 일이었다. 심지어 장애인이나 정신 지체아가 자식을 낳지 못하게 한 나라도 있었다. 약자들은 국가의 발전을 저해한다는 이유에서였다. 그래서 박은식은 우리나라도 강대국이 되어 뒤처지거나 도태되어선 안 된다고 생각했다. 그래서 서양의 신식 문물을 받아들이고 부국강병을 꾀해야 한다고 주장하였다.

오늘날 사회진화론은 모든 인간의 인격과 자연권을 존중하지 않는 매우 위험한 생각으로 여겨질 요소가 있다. 현재 많은 나라들은 사회적 약자를 보호하고 모두가 균등하게 잘 살 수 있도록 복지정책을 마련하고 있다.

2. 교과서 속에서 만난 박은식

우리 조상들은 일제의 침략으로부터 나라를 지키고, 일제의 지배로부터 독립하기 위해 싸웠다. 일본이 강제적으로 '을사조약'을 맺어 우리의 외교권을 빼앗은 후, 온 국민들은 일제의 침략을 비난하면서 일제에 맞서 싸우고자 일어났다.

을사조약의 내용

1. 일본 정부는 한국의 외교에 관한 모든 사무를 지휘, 감독하고, 일본의

외교 대표자 및 영사는 외국에 있는 한국인을 보호한다.

2. 한국 정부는 일본 정부를 통하지 않고는 외국과 조약을 맺지 못한다.

3. 일본 정부는 외교에 관한 일을 관리하는 1명의 통감을 한국 황제 밑에 두는데, 언제든지 황제를 만날 권리가 있다.

4. 일본과 한국 사이에 이미 맺은 조약은 이 조약과 다르지 않은 한 효력이 있다.

— 초등학교 《사회과 탐구 6-1》

이 '을사조약'에 뒤이어 1910년에 우리나라를 완전히 빼앗은 일본은 언론과 교육을 통제하면서 우리의 모든 신문, 잡지 그리고 우리나라 역사책의 판매를 금지시켰다.

일본의 탄압이 심해지자, 박은식은 우리 역사와 문화를 지키기 위해 '비록 나라는 망하더라도 혼이 사라지지 않으면 다시 일어설 수 있는데, 우리의 혼인 역사마저 불태워 없애니 매우 안타깝고 한스럽지 않을 수 없다'고 말하며 본격적으로 역사 연구를 하기 시작했다.

박은식은 1919년 3·1운동 때 61세의 나이에도 불구하고 '대한국민노인동맹단'을 만들어 독립운동을 전개하다가 그해 8월 상하이로 건너가 대한민국 임시 정부를 세우는 데 많은 활약을 했다. 또한 박은식은 《한국독립운동지혈사》와 같은 책을 써서 일제 침략의 내력을 알리고 민족의 혼이 담긴 우리 역사의 방향을 잡았다. 이 책은 일본의 방해에도 불구하고 나라 안팎에 비밀리에 퍼져, 우리 민족이 일제에 반드시 승리할 것이라는 자신감을 심어 주었다.

이후 박은식은 대한민국 임시 정부가 분열과 환란에 빠지자 1925년 임시 정부 국무총리가 되어 이를 수습하고 이듬해 제2대 대통령이 되었다가 헌법을 개정하고 대통령직에서 물러난 뒤 1925년 11월에 66세의 나이로 세상을 떠났다.

상하이에 세워진 대한민국 임시정부

3·1운동이 일어났던 1919년에 민족 지도자들은 독립 운동을 좀 더 효과적으로 펴 나가기 위해 중국 상하이에 임시 정부를 세우고 나라 이름을 '대한민국'이라 하였다. 대한민국 임시 정부는 국내와 연결되는 비밀 연락망을 조직하여 독립자금을 모으고, 무관학교를 세워 독립군을 길러 냈으며, 독립신문을 발간하였다. 대한민국 임시 정부는 비록 해외에 있었지만, 온 겨레의 지지를 받고 모든 동포에게 우리도 독립을 할 수 있다는 희망과 용기를 주었다.

— 초등학교 《사회 6-1》

---

3. 기출 문제 속에서 만난 박은식

역사를 보는 시각

2008학년도 성균관대학교 수시 2학기 모의 논술고사에 제시된 글에서는 역사를 보는 시각의 차이가 나타난다. 특히 신채호나 박은식의 역사관이 언급된 글에서는 '기억 상실증에 걸리면 자기가 누구인지조차 모르게 되는 것처럼, 한 민족이 자기 역사를 빼앗기면 국가의 혼과 정신을 잃는 것과 마찬가지' 라는 말이 소개되고 있다.

일본은 우리나라를 강제적으로 점령한 후, 우리말과 글의 사용을 금지하고, 우리 역사를 배울 수 없게 하였다. 또한 일본과 우리나라가 한 몸이라고 억지를 부리며 한국인을 일본인으로 동화시키려 하였다. 이를 위해 일본인과 조선인은 조상이 같다는 이론을 펼치며 한국인의 민족정신을 근본적으로 말살하려 하였다. 이러한 의도에서 나온 것이 바로 지배를 정당화하기 위한 '식민 사관' 이었다. 식민 사관은 한국인의 저항 의지를 약하게 만들어서 일제의 강제적인 지배에 순응하게 만들려는 정치적 의도가 담겨 있었다.

박은식은 이러한 일본의 역사 왜곡에 대항해서 민족의 혼인 민족정신을 바로 세우려고 하였다. 그는 올바른 민족정신이 국가의 흥망을 좌우하는 관건(關鍵)으로 보고 민족혼의 중심인 국사가 온전히 보존되면 그 나라는 망하지 않는 것으로 생각하였다.

박은식이 내세운 민족주의 역사관은 우리 민족의 혼을 없애려고 한 일본의 침략 정책에 맞서 민족정신을 회복하려는 취지에서 나왔다. 이러한 관점에서 볼 때, 역사는 고정불변의 자연적인 사실이 아니라, 특정 관점과 의

도에 의해 (민족정신의 고취를 위해) 재구성되고 조합된 사회적인 기억이라고 말할 수 있다.

　박은식은 '국체는 비록 망했지만 국혼이 소멸당하지 않으면 부활이 가능한데, 지금 국혼인 역사마저 불태워 소멸하니 통탄하지 않을 수 없다' 고 애통해 하며, 민족사에 흐르는 정신사적인 민족혼을 내세움으로써 나라를 잃은 백성들에게 독립의 의지를 일깨우고자 노력하였다.

박은식의 심경은 다음과 같은 《역사가》에 잘 담겨 있다.

어화 우리청년들아 / 고국산천이 땅이라,
북부여 단군자손 / 2000여년 형국일세.
동명성왕 북래하여 / 고구려를 건설하고
환도고성 찾아보니 / 광개토왕 비문이라.
용천부를 돌아보니 / 발해 태조 사업일세.

우리 동족 금 태조 / 백두산에 터를 닦아
2,500 정병으로 / 호시천하 광장하다.
우리오늘 건너온 일 / 상제명령 아니신가.
아무쪼록 정신 차려 /조상 역사 계승하세.

실 전 논 술

논술 문제

제시문 (가)에서 개화론과 척사론이 대립된 원인과 주장을 요약하고, 제시문
(나)와 제시문 (다)를 통해 박은식이 주장한 개화 성격을 말해 보시오.

가 일본과 강화도 조약을 체결한 후 보다 적극적으로 개화 정책을 추진하여 나
라를 발전시키자고 주장하는 사람들이 있었는데, 이들을 개화파라고 하였다.

그러나 많은 유생들은 서양 여러 나라와 일본을 오랑캐로 여기고, 그들과 접촉하
는 것을 반대하면서 우리 고유의 유교 문화와 질서를 지켜야 한다는 위정척사 운
동을 일으켰다.

이처럼 정부의 개화 정책이 실시되는 과정에서 개화론과 척사론이 대립하게 되
었다. 그리고 여기에 민씨 세력과 홍선 대원군 세력 사이의 갈등, 일본 세력의 침
투에 대한 국민의 반발 등이 얽히면서 정치는 점점 혼란을 겪게 되었다.

— 중학교 《국사》 중에서

나 국어 연구와 함께 국사 연구도 활발하게 진행되었다. 일본은 일찍부터 한국
사를 그들의 침략에 이용하기 위하여, 우리나라의 역사와 문화를 나쁘게 평하거
나 거짓으로 꾸며 놓았다. 이에 대항하여, 우리의 역사가 독자적이고 자주적으로
발전하였으며 독창적인 문화를 이룩하였음을 밝힘으로써 민족의식을 고취하려
는 노력이 국사 연구로 나타났다.

박은식과 신채호는 민족의식을 강조하는 민족주의 사학을 발전시켰으며, 정인
보와 문일평 등이 이를 계승하였다. 이병도와 손진태 등은 진단 학회를 조직하고

진단 학보를 발간하면서 한국사 연구에 힘썼다.

— 중학교《국사》중에서

다 개항 이후 줄곧 서구 열강을 비롯하여, 청나라와 일본 등이 합세하여 우리나라에서 이권을 차지하려고 했어요. 어디 그뿐이었을까요? 청나라와 일본이 서로 지배권을 확보하려고 노리고 있었기 때문에 우린 국권을 잃을지도 모르는 위기였죠. 그래서 '우리도 강자가 되어 독립 국가를 건설하자'는 주장이 나오기 시작했죠.

　박은식도 사회진화론의 영향을 받았습니다. 그는 당시를 약육강식(弱肉强食)이 지배하는 시대라고 보았죠. 그런 시대에 한국이 멸망하지 않고 생존하기 위해서는 부국강병을 이루는 것이 가장 절박한 급선무였어요. 그래서 박은식도 교육과 산업 발달에 기초한 문명화를 중요하게 여겼죠.

　하지만 서구 근대 문명을 수용하는 것이 절실하다고 해서 무조건 그들을 모방해서는 안 되겠죠. 민족보다 문명화가 더 큰 목적이 된다면 수단과 방법을 가리지 않고 물질문명을 추구하게 됩니다. 그건 곧 열강의 힘을 빌려서라도 개화를 해야 한다는 말이에요. 이러한 논리대로라면 서구 열강을 받아들이는 건 앞선 문명을 수용하는 것이니 나쁠 게 없어요. 그건 문명의 혜택이지, 제국주의 '침략'이 아닐 테니까요. 하지만 이건 조심해야 할 부분이 있어요.

—《박은식이 들려주는 진아 이야기》중에서

생각 쓰기

생각 쓰기

가 진아(眞我), 참된 나는 양지를 실현하는 사람을 뜻합니다. 진아는 양지를 가리거나 숨기지 않고 그대로 드러낸 참 사람입니다. 양지는 내 마음 안에 원래부터 도덕적인 옳고 그름을 판단하고 실천할 수 있는 능력을 의미합니다. 그러니까 양지가 시키는 대로 한다면 어느 상황에서 누구와 마주 하든지간에 올바르게 판단하고 실천할 수 있죠.

양지는 나만 잘 먹고 잘 살려는 사심이 없기 때문에 어느 상황에서든 도덕적 판단을 잘 할 수 있을 뿐만 아니라, 그 판단대로 거리낌 없이 실천할 수 있는 역동적인 힘을 가지고 있어요. 이런 도덕적 능력은 누구에게나 있지요. 따라서 누구나 진아가 될 수 있으며 인간은 결코 양지를 속일 수 없습니다. 박은식은 양지대로 행동하는 사람을 '진아(眞我)'라고 표현했어요. (……)

박은식은 양지는 인간이기만 하면 누구나 똑같이 갖고 있다고 했어요. 공부를 많이 한 사람이든 아니든 부자이든 가난한 자이든 잘 생겼든 못생겼든 그런 사회적 신체적 조건과는 무관하다고 했죠. 이것은 도덕적으로 모든 인간이 평등하다는 의미도 있습니다. 하지만 평등시대에 일반 대중들의 역할과 중요성에 주목한 것이라고 할 수 있어요.

그는 유학이 근대사회 변화에 맞게 변화해야 한다고 보았습니다. 조선시대의 유학은 국가이념으로서 양반 계층을 중심으로 발전했지요. 하지만 근대사회는 평등을 지향했습니다. 그러므로 유학은 일반 대중이 주체가 되어 사회를 이끌어나갈 수 있도록 방향을 제시하는 사상으로 거듭나야 한다고 주장했어요.

그래서 박은식은 옛날 것만 고집하는 양반은 근대사회를 이끌어 나가기에 부족하다고 여겼어요. 반면 유학 경전을 읽지 않았지만, 양지를 마음속에 간직하고 있는 무문자(無文者)에 주목했지요. 양반만이 아니라 양지를 구현할 수 있는 사람이면 누구나 진아가 될 수 있기 때문이에요.

— 《박은식이 들려주는 진아 이야기》 중에서

나 이러한 소피스트의 생각에 반대하여, 보편적 진리가 있다고 주장하면서 인간의 참다운 삶의 방식을 추구하였던 사람이 소크라테스(Socrates, 기원전 470?~기원전 399)이다. 소피스트가 부와 명예 등 세속적인 가치를 중시했던 데 반해, 소크라테스는 선하게 사는 것과 정신적인 가치를 더 중시하였다. 소크라테스에게는 알면서도 악을 행한다는 것은 있을 수 없는 일이었다. 무엇이 옳고 그른지를 제대로 모르기 때문에 사람들은 악을 행하며, 그렇기 때문에 소크라테스에게는 앎이 그 무엇보다도 중요한 것이었다. 그런데 이 앎이란 단순한 지식이 아니라, 영혼의 수련을 통해서 얻어진 깨달음이다. 소크라테스는 '너 자신을 알라' 라는 유명한 말을 통해 우리가 스스로의 무지를 자각하고 진리를 추구해 나갈 것을 역설하였다.

— 고등학교《윤리와 사상》중에서

생각 쓰기

생각 쓰기

case 3 제시문 (가)의 밑줄친 부분에서 말하고 있는 태도의 예를 한 가지 들고, 이러한 태도를 극복할 수 있는 방법에 관해 제시문 (나)와 (다)를 참고하여 서술하시오. (500자 내외)

가 우리는 근대 이후 세계사를 이해할 때 흔히 서양을 기준으로 합니다. 그런데 서양을 기준으로 하면 그들의 시선으로 세계를 바라보기 때문에 서양 근대 문명이 이루어낸 긍정적인 측면들만 보기 쉬워요. 하지만 앞에서 살펴보았듯이 제국주의 침략이 야만적인 폭력이었다는 건 부정할 수 없는 진실이죠.

서양의 관점에서 써진 세계사를 보면 아시아와 아프리카는 내부적으로 문제가 있었기 때문에 서양의 침략을 받을 수밖에 없었던 것처럼 보일 수 있어요. 하지만 이렇게 물어 볼게요. 도둑질한 사람이 더 잘못한 걸까요, 도둑질당한 사람이 더 잘못한 걸까요?

우리는 그동안 우리 자신마저 서양 사람들의 시선으로 보아 왔어요. 서양은 제국주의 침략의 야만성을 반성하기보다 자신들이 앞선 선진문명을 전수해 줬다고 주장합니다. 그리고 침략당한 나라들이 내부적인 문제를 안고 있었다며, 그게 어떤 문제였는지 찾아내는 데만 열중하지요.

하지만 어떤 이유에서든 폭력을 휘두르는 것은 잘못된 일입니다. 더욱이 다른 사람을 때려 놓고 '그 사람은 맞을 만한 짓을 했기 때문에 맞았다'고 주장한다면 말이에요. 서구 열강은 아시아와 아프리카를 침략하면서 저지른 야만적 행위들이 인류의 발전이나 평화를 해치는 일이었다는 걸 분명히 알아야 해요.

물론 도둑질을 당한 조선인들의 책임도 결코 가볍지 않습니다. 그렇다고 지나친 열등의식이나 패배주의에 빠질 필요는 없어요. 19~20세기 전 세계엔 약 220여 개의 나라가 있었는데, 이 중 제국주의의 피해자 혹은 가해자가 아닌 나라는 겨우 다섯 개밖에 되지 않았답니다. 그나마 온전히 독립적 지위를 누렸던 나라는 스위스뿐이었고요. 즉, 당시 근대 국가 가운데 제국주의 침략이라는 쓰나미 같은 광풍으로부터 자유로웠던 나라는 거의 없었던 셈이에요.

이런 역사적 상황을 이해한다면 우리 조상들한테 '나라를 빼앗긴 못난이들'이라고 비난을 퍼붓기만 할 수는 없을 거예요. 하지만 내부적인 반성은 이루어져야 해요. 백 년 전 근대 역사에서 우리의 무엇이 문제였는지, 그리고 그것을 통해 우리가 배워야 할 점이 무엇인지, 그래서 어떤 방법으로 새로운 발전을 이뤄 나가야 하는지 자세히 음미하고 고민해 보는 일이 필요합니다.

—《박은식이 들려주는 진아 이야기》 중에서

나 예전엔 청개구리가 울던 연못에 요즘은 미국에서 건너온 황소개구리가 들어앉아 이것저것 닥치는 대로 삼키고 있다. 어찌나 먹성이 좋은지 심지어는 우리 토종 개구리들을 먹고 살던 뱀까지 잡아먹는다. 토종 물고기들 역시 미국에서 들여온 블루길에게 물길을 빼앗기고 있다. 이들이 어떻게 자기 나라보다 남의 나라에서 더 잘 살게 된 것일까?

도입종들이 모두 잘 적응하는 것은 결코 아니다. 사실, 절대 다수는 낯선 땅에 발도 제대로 붙여 보지 못하고 사라진다. 정말 아주 가끔 남의 땅에서 들풀에 붙은 불길처럼 무섭게 번져 나가는 것들이 있어 우리의 주목을 받을 뿐이다. 그렇게 남의 땅에서 의외의 성공을 거두는 종들은 대개 그 땅의 특정 서식지에 마땅히 버티고 있어야 할 종들이 쇠약해진 틈새를 비집고 들어온 것들이다. 토종이 제자리를 당당히 지키고 있는 곳에 쉽사리 뿌리내릴 수 있는 외래종은 거의 없다.

— 고등학교 《국어 상》, 〈황소개구리와 우리말〉 중에서

[다] 민족 문화와 세계 문화와의 관계를 이야기할 때에 흔히 범하기 쉬운 잘못이 있다. 하나는 자신의 것을 무시하고 세계 문화만을 좇아가려는 태도이고, 다른 하나는 자기 민족 문화의 고유한 모습에만 집착하여 폐쇄적인 자기중심주의에 빠지는 태도이다. (……) 따라서, 어느 한 민족의 문화만을 우수한 문화라고 생각하는 것은 위험한 발상이다. 각각의 민족 문화가 가지고 있는 가치 있는 요소들이 모여서 인류 공동의 재산으로 남을 때에 그것이 바로 세계 문화를 뜻한다. 따라서 '민족 문화가 곧 세계 문화'라는 말은 민족적 가치를 제대로 구현한 문화가 바로 세계적이고 보편적인 가치를 가진 세계 문화가 된다는 뜻이다.

— 중학교 《도덕 2》 중에서

248

실 전　논 술

예시 답안

강화도 조약은 조선이 강화도에서 일본과 맺은 최초의 근대적 조약이다. 하지만 조선에 불리한 입장을 가진 조항이 많아서 불평등 조약으로 불린다. 강화도 조약이 체결된 후 조선은 외국의 새로운 문화와 사상, 문물을 받아들이려 하였다. 그러나 외국 문물을 받아들여서는 안 되고, 조선의 문화와 전통을 지켜야 한다는 운동이 거세게 일어나 개화파와 위정척사파로 나뉘었다. 박은식은 개화를 적극적으로 주장한 사람이다. 약육강식의 세계인데 다른 나라에는 눈길을 주지 않고 조선 안에서 폐쇄적인 활동을 하는 것은 자국의 힘을 스스로 무너뜨리는 일이라고 보았다. 청나라와 일본 사이에 끼여 있는 조선이 두 나라의 압박에 무너지지 않기 위해서는 스스로의 힘, 그것이 경제이든 문화이든 키워야 한다. 그래서 박은식은 다른 나라의 도움이 아니라 강한 힘을 기른 우리 스스로 독립 국가를 만들어야 한다고 주장하였다. 다만 박은식은 외국의 선진 문물과 제도를 받아들일 때도 무조건 받아들이고 배우는 것이 아니었다. 오늘날도 외국의 문화나 제도를 무조건 수용하는 것이 아니라 국민들의 의식, 생활수준을 반영하여 적절한 외국의 것들을 가지고 오거나 자국의 특성에 맞게 변형시킨다. 박은식도 외국의 문물과 문화, 제도를 그대로 수용하는 것은 문화제국주의로 가는 길이라 생각하여 독창적인 우리의 것으로 창조할 수 있도록 하는 일이 중요하다고 보았다.

박은식은 누구나 태어날 때부터 옳고 그름을 가리는 도덕적 판단 능력을 가지고 있다고 말한다. 이것이 양지이다. 양지라는 마음속 소리가 늘 들려오고 있기 때문에, 나쁜 행동을 했을 때에도 우린 처음부터 그것이 옳지 못하다는 걸 알고 있었던 셈이다. 그래서 부끄러움이란 감정이 생긴다. 자신이 옳지 못한 행동을 하고 있다는 걸 알기 때문에 부끄러움을 느낄 수가 있는 것이다.

반면 소크라테스의 생각에 우리는 나쁜 행동을 하고 있다는 부끄러움을 느낄 수 없다. 왜냐하면 인간은 누구나 자신이 옳다고 생각하는 일을 행하며, 일부러 악을 행하지는 않기 때문이다. 우리가 나쁜 행동을 하게 되는 이유는 그것이 나쁘다는 걸 모르기 때문이다. 인간은 도덕적 능력을 태어날 때부터 가지고 있지 않다. 영혼의 수련을 통해 깨달음을 얻어야만 우린 무엇이 옳고 그른지 알 수 있다. 그리고 소크라테스는 깨달음을 얻은 사람은 반드시 옳은 일을 행할 것이라고 생각했다. 지행합일(知行合一)이란 말처럼, 앎과 행동은 반드시 같아야 한다는 것이다.

박은식과 소크라테스 모두 설득력이 있다. 우리는 태어날 때부터 무엇이 좋고 무엇이 나쁜 행동인지 다 알고 있지는 못한다. 그래서 어릴 때부터 인성 교육을 시키는 것이다. 무엇이 옳고 그른지 일깨워주고, 그른 일을 하지 않게 하기 위해서이다. 하지만 우리는 때론 이기심 때문에 안 된다는 걸 알면서 악을 행하기도 한다.

인간은 아무 것도 모른 채 태어나 공동체 안에서 다른 사람들과 어울리는 관계

속에서 옳고 그름을 깨우쳐간다. 그런 과정을 통해 자신만의 도덕적 판단 기준을 마련한다. 하지만 때론 그 기준을 알면서도 어기는 경우가 있다. 그건 우리에게 신체적 욕구와 감정이 있기 때문이다. 도둑질이 나쁘다는 걸 알면서도 배가 고파서 빵을 훔친 장발장이 바로 이러한 예이다.

case 3 세계사를 서양 중심으로 생각하는 태도는 중동 아시아나 극동 아시아 등과 같은 지리적 명칭에서 드러난다. 또한 미국에서 남군과 북군이 싸운 내전을 '남북전쟁'이라고 부르는 것도 이와 유사한 예로 들 수 있다. 이러한 명칭은 서구식 기준으로 세계사를 보는 대표적인 사례이다.

제시문 (가)에서 황소개구리의 유입으로 토종 개구리가 사라져 가는 현실은, 우리 것에 대한 애정과 책임감이 없는 상황에서 섣불리 외래 것을 받아들일 때 어떤 결과를 낳게 될 것인지를 예고해 준다. 세계와의 교류는 우리 문화와 우리의 정체성을 올바르게 세운 상태에 세계와의 교류에 나서는 자세가 필요하다.

그렇다고 일방적으로 우리 것만 강조하는 편협한 국수주의나 제국주의의 형태로 다른 민족의 생명을 위협하는 태도를 가져서는 안 된다. 내 나라의 좋은 전통과 문화를 잘 보전하고 다른 민족의 문화를 주체적 시각에서 받아들이는 것이 필요하다. 우리 문화에 대한 애정과 주체성을 확립해 민족 문화를 잘 보전하면서 동시에 세계 문화를 받아들이는 것이 바람직하다.

철학자가 들려주는 철학이야기 078

딜타이가 들려주는 이해 이야기

저자_이지영

연세대학교 사회학과를 졸업하고, 연세대학교 대학원에서 사회학 석사 학위를 받았다. 이후 서울 주요 논술학원에서 인문계 논술강사로 활동하고 있으며, 〈박학천 아작 정시 논술〉, 〈박학천 아작 수시 논술〉, 〈한솔 M 플라톤 논술〉 시리즈 등 다수의 논술 교재를 집필했다.

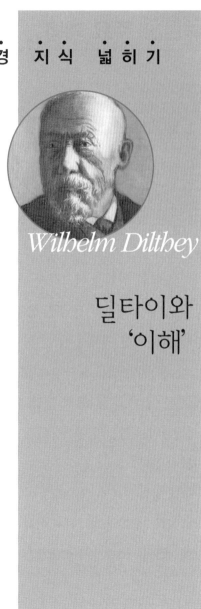

Wilhelm Dilthey

딜타이와
'이해'

딜타이 주요 개념

1. 딜타이를 만나다

1) 빌헬름 딜타이 — 시대와 생애

빌헬름 딜타이(Wilhelm Dilthey, 1833~1911)는 독일에서 태어난 철학자로, '삶의 철학(생철학, 生哲學)을 창시한 학자이다. 그는 자연과학에 대하여 인문학의 영역을 확고하게 만들었다. 그는 칸트의 비판정신의 영향을 받았고, 당시 헤겔의 관념론 철학을 비판하면서 역사적 이성의 비판을 제창하였다. 또한 역사적 생(生)의 이해, 역사적 의미의 이해를 중심으로 하는 해석학의 방법론을 확립하였다.《정신과학입문》,《기술 및 분석 심리학에 관한 이념》,《해석학의 발생》,《정신과학에 있어서 역사적세계의 구조》,《세계관의 유형들과 형이상학적 체계에 있어서 그 유형들의 형성》등의 저서들이 있다.

현대 철학은 매우 다양하게 나누어지기 때문에 쉽게 이해하기는 어렵다. 딜타이의 '삶의 철학' 역시 이해하기 어려운 철학 중 하나라고 할 수 있다. 그의 철학을 이해하기 위해서는 그가 살았던 당시 사상적 배경에 대하여 살펴보는 것이 도움이 된다.

19세기 서양 사상의 흐름은 피히테, 셸링과 헤겔로 이어지는 '독일 관념론 철학'이었다. 그 중 가장 대표적인 철학자인 헤겔은 자신 이전의 철학들을 종합하여 '절대정신'을 중심으로 한 '변증법적 관념론' 체계로 통일하였다.

'절대정신'이란 개인들의 개별적인 이성(理性)과 구별되는 개념으로, 개별적인 이성의 집합보다 훨씬 더 큰 총체적 이성을 말한다. 그리고 오류를 범하지 않는 신적(神的) 개념의 이성이다. 이 절대정신은 변증법의 구도 안에서 실현되는데, 변증법이란 세계가 생성하고 움직이며 변화해 간다는 논리이다.

이러한 헤겔의 관념론 철학은 이후 사상적 흐름에 지대한 영향을 주었고, 그런 만큼 이에 대한 비판들도 다양하게 등장하였다. 삶의 철학, 실존주의, 구조주의, 실용주의, 해석학, 현상학, 마르크스 철학 등이 헤겔의 철학을 비판하면서 등장한 철학이다.

'삶의 철학'을 주창한 딜타이는 서양 철학의 세계관을 크게 세 가지로 나누었다. 자연주의, 자유의 관념론, 객관적 관념론이다. 먼저 자연주의는 세계가 물질로 이루어져 있고, 인과법칙에 따라 기계적으로 돌아간다고 생각했다. 자연주의 철학의 입장에는 세계가 원자(原子, atom)로 이루어진다고 보았던 그리스 철학자 데모크리토스와 영국의 경험론자인 홉스가 있다.

한편, 그리스 철학자 플라톤이나 독일의 칸트와 같은 사람들은 자유의 관념론자들이었다. 개개인의 내면에 있는 자유의지가 영원히 변하지 않는 진리라고 주장하였다. 마지막으로 객관적 관념론자들은 라이프니츠와 헤겔이 대표적인데, 이들은 정신의 원소와도 같은 단자(單子)나 모든 인류의 정신이 하나로 모인 절대정신이 세상에 존재하는 진리하고 본 것이다.

딜타이는 이러한 세 가지 세계관 모두 역사적, 문화적 삶을 제대로 이해하지 못한다고 비판했다. 역사적 세계를 이해하기 위해서는 인문학과 자연과학을 종합하고, 역사적 의식을 통해 재체험을 해야 하는데, 이제까지의 철학은 자신의 체험만을 주장할 뿐, 재체험을 하지 않기 때문이다. 재체험이란 단순한 이해가 아닌 높은 차원의 이해, 즉 역사적, 문화적 이해의 궁극적인 단계에서 나타나는 것인데, 체험과 표현, 이해가 맞물려 돌아가는 순환구조 중에서 가장 최고의 이해에 필요한 체험을 말한다.

2) 삶의 철학자, 딜타이

딜타이에게 중요한 철학적인 질문은 다음과 같다. 먼저 인간의 삶과 역사 그리고 문화는 어떻게 만들어지며, 어떤 힘으로 나아가는가이다. 다음으로, 역사를 이끌어가는 우리의 이성(理性)은 어떤 특징이나 성격을 가지고 있는지, 나아가 이성을 어떻게 비판적으로 연구할 수 있는가이다. 이러한 철학적인 질문을 시작으로 하여 딜타이는 '삶의 철학'을 만들어 냈다.

삶의 철학이란 인간의 삶을 가장 본질적으로 여기는 철학을 말한다. 그렇다면 인간의 삶은 어떻게 구성되어 있나? 하나는 물질적인 삶이고, 다른 하나는 정신적인 삶이다. 물질적인 삶은 감각을 통하여 세계를 이해하는 삶이고, 정신적인 삶은 역사와 문화를 이해하는 삶이다. 딜타이의 '삶의 철학'에서 '이해'는 중요한 개념인데, 이 두 가지 삶 중에서 정신적인 삶을 이해한다는 것이다. 인간의 삶은 교육, 경제, 정치, 예술, 종교, 도덕 등으로 다양하게 표현되는데, 이것이 바로 인간의 역사와 문화이다. 이러한 정신적인 삶을 탐구하는 학문이 바로 인문학(人文學)이며, 삶의 철학을 통하여 가능하다.

오늘날 세계는 물질적인 삶을 연구하는 자연과학이 지배하고 있다고 해도 지나치지 않다. 하루가 다르게 변화하고 있는 과학기술이 그 증거이며, 우리가 속한 자본주의 경제체제를 봐도 잘 알 수 있다. 하지만, 삶의 의미와 가치를 올바르게 알기 위해서는 물질적인 삶에서 벗어나 정신적인 삶 즉, 역사와 문화를 올바로 해석하는 것이 중요하다. 딜타이가 말하는 이해(理解)란 바로, 정신적인 삶인 우리의 고유한 문화와 역사를 해석하는 과정을 말한다.

3) 인문학과 자연과학

정신적인 삶을 이해하기 이전에 딜타이는 인문학과 자연과학에 대하여 설명한다. 자연과학은 절대적으로 변하지 않는 법칙이 중심이다. 1+2=3과 같이 변함없는 법칙을 말한다. 가설을 세우고, 실험과 관찰을 통해 이 법칙을 증명해 내는 것이 자연과학이다. 원인과 결과를 밝히는 인과법칙에 따라 끊임없이 움직이는 세계를 설명하는 것이다. 그런데, 이러한 자연과학의 방식으로는 인간의 삶을 연구할 수 없고, 연구하는 것 역시 올바르지 않다. 인간의 생각과 정신을 1+2=3과 같은 법칙으로 설명할 수는 없기 때문이다. 사람들의 삶은 객관적으로 관찰할 수도 없고, 측정할 수도 없다. 사람들은 개개인들의 고유한 의미와 가치가 있기 때문에 더욱 그러하다.

인간의 고유한 의미와 가치는 자연과학의 방식이 아니라 '이해' 의 방식을 통해서 알 수 있다. 객관적인 조건에 맞춰서 어떤 사람을 판단하는 것은 옳지 않다. 예를 들어, 로또 복권에 당첨되어 하루아침에 엄청난 부를 가지게 된 사람이 있다고 하자. 이 사람이 객관적으로 많은 부를 가졌다는 것을 알 수는 있지만, 행복한지 행복하지 않은지를 알 수는 없다. 부자라고 해서 행복하다고 말하는 것은 잘못된 이해의 방식이다. 딜타이가 말하는 삶의 철학은 사람의 삶을 객관적인 조건에 따라 이해를 하는 것이 아니라, 어떤 생각을 가지고 어떤 행동을 하며 살아가는지를 이해하는 것이다. 삶의 철학에서 가장 중요한 것은 자신의 삶이며, 자신의 삶을 가치 있는 것으로 만드는 것이다. 이를 위해서는 물질적인 삶이 아니라, 정신적인 삶을 깨닫고 이해해야 한다.

이렇게 정신적인 삶을 이해하는 학문이 바로 인문학이다. 철학, 신학, 문학, 법학, 경제학, 정치학, 언어학, 교육학 등이 여기에 해당한다. 인문학은 생생한 체험을 통해서 역사적 세계를 해석하고 이해하는 것이다. 역사적 세계란 인간의 생각과 사상이 표현되는 곳이며, 인간의 정신적 세계이자 문화적 세계를 말한다. 인간은 동물이면서 동시에 동물을 뛰어넘는 정신적 존재이기 때문에 자연 세계보다 역사적 세계를 더 의미 있게 봐야 한다.

인간의 역사적 세계를 보기 위해서 우리는 우리의 삶을 생생한 체험으로 표현하고 이해한다. 자연과학의 방식에서 인간의 삶은 관찰되고 기록되지만, 역사적 세계에서는 체험과 표현, 이해라는 순환구조에 의해 파악할 수 있다. 자연과학과는 달리 인간은 자기반성과 같은 정신 활동을 통해서 체험하고, 체험한 문화적 삶을 표현하고, 이해하는 것이다. 인간과 인간의 관계는 자연과학의 인과관계에 의해서 만들어

이해(理解)

딜타이는 이해를 두 가지 차원으로 나누어서 설명한다. 일상적이고 단순한 이해와 높은 차원의 이해. 즉, 역사적, 문화적 이해이다. 올림픽에 나가서 금메달을 딴 마라톤 선수를 보고 "아, 저 선수는 다른 선수들보다 더 빨리 결승선에 들어와서 1등을 했구나"라고 이해하는 것은 기본적인 이해이다. "저 선수가 1등을 하기 위해 정말 힘든 훈련을 했겠구나. 완주하려면 얼마나 숨이 차고 다리가 아플까? 이런 고통을 참고 오래 기간 동안 연습을 해서, 오늘 이런 기쁘고 보람찬 성과를 얻게 된 거구나. 마라톤은 예전 그리스에서 전쟁에서 이긴 소식을 전하기 위해서 42.195Km를 달렸던 병사를 기념하기 위해서 만들어진 경기인데, 그 병사도 저 선수만큼이나 힘들고 어려운 육체적 고통을 참아냈던 거구나. 정말 놀랍고 대단한 노력이다"라고 이해하는 것이 바로 높은 차원의 이해이다.

지는 것이 아니라, 이러한 체험과 표현, 이해의 관계에 따라 만들어지는 것이다. 딜타이가 주장한 삶의 철학은 이렇게 내면적인 삶의 체험을 통하여 인간의 정신적인 삶, 역사적 세계를 참답게 알 수 있다고 본 것이다.

2. 교과서 속에서 만난 딜타이

1) 사람다운 사람이란?

대다수의 학생들은 사회적으로 높은 지위를 차지하거나, 많은 재산을 가지거나, 눈에 띄는 활동을 하는 사람이 되고 싶어 한다. 이처럼 사회적으로 이름난 사람을 우리는 '난 사람'이라고 부른다.

반면, 현규는 사람다운 사람, 즉 착한 마음을 지니고 도리를 다하는 사람이 되고자 하였다. 이처럼 항상 인간미가 넘치고 사람으로서 성숙한 사람을 우리는 '된 사람'이라고 한다.

그렇다면 우리는 이러한 두 가지 사람 중에서 어떤 사람이 되기를 원하는가? 물론, '난 사람'이면서 '된 사람'이면 더욱 바람직하지만, 그 중에서 한 가지를 선택하라면 어떤 사람이 되기를 원하는가? 많은 청소년들이 '된 사람'보다는 '난 사람'이 되기를 원하고 있으며, 부모 역시 자식들이 '난 사람' 이 되기를 바라는 경우가 많다. 하지만, 깊이 생각해 보아야 할 점이 몇 가지가 있다.

첫째, 난 사람과 된 사람 중에 어느 쪽이 우선인지를 생각해 보아야 한다. 다음 한 예술가의 말은 무엇을 우선으로 해야 하는지를 분명히 제시하고 있다.

"좋은 사람이 좋은 그림을 그리고 훌륭한 사람이 훌륭한 그림을 그린다. 그림도 옳은 그림이 있고 바른 그림이 있다. 좋은 그림은 옳은 그림이어야 하고, 또 그것은 바른 그림이어야 한다. 그림은 사람이 그리는 것이고, 그 사람의 됨됨이가 그래도 반영된다."

둘째, 미래에는 자신의 마음을 잘 다스리고 다른 사람의 마음까지 움직일 수 있는 '된 사람' 이 다른 사람들을 이끄는 위치에 서야 한다. 실제로, 깨끗한 마음으로 일하는 사람, 남을 이해하고 포용하는 사람, 포근하고 믿음직한 사람만이 다른 사람들로부터 존경을 받을 수 있으며, 지도자의 위치에 오르는 것을 많이 볼 수 있다.

셋째, 마음가짐이 바르지 못한 사람은 '난 사람' 이 되기도 어렵지만, 설령 된다고 하더라도 그 명성이 오래 가지 못한다. 예컨대, 우리는 대중 매체를 통해 널리 알려진 사람들이 하루아침에 비난받는 신세가 되는 경우를 가끔 본다. 이들은 머리가 좋고, 특정 분야에서 능력이 뛰어난지는 몰라도, 좋은 품성을 지니지 못했기 때문이다.

따라서, 우리는 큰 꿈을 가지는 것과 함께 너그러운 마음으로 삶을 아름답게 가꾸고, 포용력으로 주위를 감싸 안는 '된 사람'인지를 스스로 점검해 보아야 한다.

— 중학교 《도덕 1》 중에서

중학교 《도덕 1》 교과서에서는 '사람다운 사람'에 대하여 설명하고 있다. 사람다운 사람은 '난 사람' 이전에 먼저 '된 사람'이어야 한다는 것이다. '된 사람'이 된 이후에야 비로소 올바르게 '난 사람'도 될 수 있다고 설명한다.

오늘날 사람들은 자신이 원하는 바를 스스로 이해하거나 반성하지 못하고, 객관적인 사회의 기준에 따라 자신이 원하는 것을 정하는 경우가 종종 있다. 왜 대학에 가서 공부를 해야 하는지를 고민하지 않은 채 좋은 대학, 좋은 학과에 들어가기를 원한다. 일을 하면서 느끼는 보람이나 성취감 대신 더 높은 연봉을 추구하는 경우도 많고, 행복은 경제적 부가 있어야지만 느낄 수 있다고 생각하기도 한다.

딜타이는 이러한 삶을 '물질적인 삶'이라고 비판한다. 인간은 자연과학에서의 방법처럼 측정될 수 있는 존재가 아닌데도 객관적인 기준에 따라 판단하거나 객관적인 기준을 좇아서 살아가는 것이다. 부자가 가난한 사람보다 행복할까? 유명한 정치가가 무명의 거리 청소부보다 더 훌륭한 사람이라고 할 수 있을까? 사회적으로 명성을 얻은 학자가 땀 흘려 농사짓는 농부보다 더 나은 삶을 살고 있다고 말할 수 있을까? 결코 그렇게 말할 수는 없다. 물론, 부자와 정치가와 학자가 '된 사람'일 수도 있지만, 겉으로 보이는 기준만으로는 알 수 없는 것이다. 한 사람의 삶이 '난 사람'인지, '된 사람'인지 아니면 이도 저도 아닌지에 대해서 판단하기 위해서는 그 사람의 삶을 이해하는 것이 필요하다. 그 사람의 삶은 그 사람만의 의미와 가치가 있기 때문이다. 또한 자신이 부나 명성, 인기가 없더라도 스스로의 삶을 충실히 살아가는 것이 필요하다. 자신만의 개성을 찾는 노력과 자신의 삶을 가치 있는 것으로 만들기 위한 정신적인 삶을 깨닫고 살아가야 한다. 그리고 그것을 타인들과 나누면서 서로 이해하는 것이 중요하다.

2) 인간다운 삶이란 무엇인가?

중요하게 여기는 가치에 따라 사람들의 삶이 다르게 나타나는데, 어떤 가치와 자세를 가지는 것이 바람직하고 인간적인 삶의 모습일까?

첫째, 인간다운 삶을 만들기 위해서는 삶의 목표가 있어야 한다. 그리고 그 목표가 인간다운 삶의 모습을 보여줄 수 있는 바람직한 목표라야 한다. 사람이 아무런 목표 없이 산다는 것은 미래를 생각하지 않는 동물의 삶과 같다고 할 수 있다. 바람직한 목표가 없는 삶은 자신뿐만 아니라, 다른 사람에게도 큰 피해를 준다. 많은 승객을 태운 여객기가 공항을 출발하여 공중을 날고 있는데, 목적지가 정해져 있지 않거나, 아무것도 없는 한가운데를 목적지로 한다면 어떤 일이 벌어질까?

둘째, 인간다운 삶이란, 정신적인 것을 중요하게 여기면서 그것을 얻고자 노력하는 삶이다. 물질적인 것만이 아니라 정신적인 것을 얻고자 노력할 때, 사람으로서의 진정한 아름다움을 느낄 수 있기 때문이다.

물론, 물질이 있어야 더욱 편하고 풍요로운 생활을 할 수 있다. 그러나 물질적으로 풍요해야 한다는 것은 인간다운 삶을 살기 위한 한 부분이고 조건일 뿐이다. 영국의 사상가 밀(J.S. Mill, 1806~1873)은 "배부른 돼지가 되기 보다는 배고픈 인간이 되는 것이 바람직하다"라고 했다. 이것은 인간의 삶에 있어서 물질적인 것보다 정신적인 것이 더욱 중요하며, 정신적인 것을 얻으려고 할 때 인간의 삶이 더욱 아름답다는 것을 강조한 것이다.

셋째, 인간다운 삶이란 자기 자신만을 생각하는 것이 아니라, 다른 사람의 입장과 처지를 생각할 줄 아는 삶이다. 우리는 자기 자신만을 알고 자기 혼자만의 이익을 추구하며 사는 사람을 이기적인 사람이라고 한다. 이와는 반대로, 다른 사람의 삶이나 사회 전체를 위하여 자신의 이익을 포기하거나 봉사할 줄 아는 사람을 이타적인 사람이라고 한다.

따라서, 인간다운 삶이란 이타적인 삶을 말한다. 세상은 혼자의 힘만으로는 살아갈 수 없다. 사람들은 서로 도움을 주고받으면서 살아간다. 만약 이

> 기적인 삶을 사는 사람이 있다면, 그는 서로 돕고 사는 인간관계를 인정하지 않은 것이고, 누구의 도움도 없이 혼자 살 수 있다고 생각하는 사람이다.
>
> — 중학교 《도덕 1》 중에서

중학교 《도덕 1》 교과서에서는 인간다운 삶에 대하여 설명하고 있다. 인간다운 삶이란 삶의 목표를 가지고 있어야 하고, 정신적인 것을 중요하게 여겨야 한다. 또한 다른 사람의 입장과 처지를 생각할 줄 아는 이타적인 삶이다.

딜타이가 말한 '삶의 철학'의 핵심은 바로 교과서에서 설명하고 있는 '인간다운 삶'과 조금도 다르지 않다. 오늘날 현대사회는 합리적인 인간을 요구한다. 그런데 이때 합리성은 많은 경우 '효율성'을 의미하는 경우가 많다. 직장에서 일을 할 때에는 감정보다는 빠르고 정확한 일처리를 위한 냉철한 능력이 필요하고, 자신의 삶에 이익이 되지 않는 것에는 관심을 가지지 않는다. 자신이 속한 세계의 의미와 가치를 해석하는 것보다는 주어진 목적을 달성하기 위하여 가장 적합한 수단을 찾는 것에 여념이 없다. 그러나 이런 방식의 삶은 결코 우리에게 행복을 가져다 줄 수 없다. 자신의 삶의 목표가 무엇인지도 모른 채, 물질적인 목적만을 추구하면서, 자신의 이익만을 챙기는 삶이기 때문이다. 이러한 삶에 대하여 딜타이는 '삶의 철학'을 통하여 이러한 삶의 방식을 반성하고 성찰해야만 한다고 주장하였다. 자신의 삶을 통해 체험을 하고, 그 과정에서 삶을 가치 있는 것으로 만들기 위해서 올바로 보기 위한 통찰을 기르는 것. 그것을 타인들과의 관계 속에서 표현하고 이해하는 순환구조를 통해서 정신적인 삶을 살아가기를 요구한다.

특히 효율성과 같이 물질적인 수단과 성과만을 추구하고, 학문에 있어서도 자연세계에 대한 과학적 지식만을 추구하는 오늘날 딜타이가 강조하는 정신적인 삶과 정신과학은 더더욱 의미가 있다. 딜타이는 복잡하게 나누어지고, 전문화 되어 가면서 개별화되는 현대사회에서 인간의 살아 있는 전체성을 이해할 수 있는 정신적인 삶과 인문학이 절실히 필요하다고 말했기 때문이다.

인문학(人文學, liberal arts)
딜타이가 강조하는 인문학은 '인간적인 것'을 규범적으로 반성하고 연구하는 학문을 말한다. 무엇이 사람다운 삶인가에 관한 의식적이고 체계적인 이해의 노력이 없을 때, 우리는 그날 그날 닥친 일상을 살아갈 뿐이고, 우리가 반성 없이 가지고 있는 편견에 우리의 삶을 내맡기기 때문이다. 인문학은 인간다운 삶이 무엇이며, 삶의 목적이 무엇인지를 편견 없이 이해하면서 살아가게 하는 자유로운 학문이라 할 수 있다. 인문학은 자연과학과 사회과학에 대비되는 학문을 총체적으로 이르는 말이지만, 일반적으로는 사회과학의 영역도 인문학을 기반으로 한다. 철학, 문학, 역사학, 신학(종교학), 예술, 언어학, 법학 등이 이에 속한다. 사회과학의 학문인 경제학이나 사회학, 정치학, 행정학, 심리학 등이 근대 이후에 탄생된 학문이라면 인문학은 인간의 문명의 시작과 함께 탄생되었다고 볼 수 있다.

---

3. 기출 문제 속에서 만난 딜타이

대학의 논술 시험에서 딜타이의 저서가 직접적으로 제시된 적은 없지만, 논술 시험 자체가 인문학을 토대로 출제되기 때문에 논술을 공부하기 위해서는 근본적으로 알아야만 한다고 볼 수 있다. 조금 더 세밀하게 나누어 보자면, 딜타이의 철학은 이성에 반(反)한 신화와 합리적인 이성적 판단을 방해하는 감정에 관한 문제들과도 연결된다고 볼 수 있다. 또한 '자본주의'로 대표되는 현대 사회의 물질적 삶에 대한 반성이나 도구적 합리성, 물질적인 소비에 집착하는 현대인의 일상 등에 대한 비판 역시 딜타이의 삶의 철학과 직접적으로 연결되는 주제들이라고 볼 수 있다. 2006년 건국대 수시 2학기 논술 시험에서는 '분노', 2004년 연세대 정시 논술에서는 '웃음'의 이유와 의미를 분석하라는 문제가 출제된 바 있는데, 인간의 정신적인 삶에서 '이해'를 중요하게 생각하는 딜타이의 철학은 이러한 문제들을 풀어 나가는 데 있어 중요한 도움을 준다. 또한 2003년 고려대 정시 논술 문제에서의 '도구적 합리성'과 2004년 이화여대의 정시 논술 문제의 '소비' 문제 등은 모두 물질적인 삶이나 인간을 객관적인 기준으로 평가하려는 것에 대한 딜타이의 비판과 연결되어 있다. 뿐만 아니라, 인문학의 중요성을 강조하는 딜타이의 철학은 논술 시험의 초창기부터 지금까지 끊임없이 다루어지고 있는 문제로, 논술 공부를 하는 데 있어 중요한 배경으로 자리 잡고 있다. 2007년 고려대 정시 논술의 경우에는 '예술의 효용'을 주제로 하여 문제가 출제되었다. 여기에서는 예술에서 특정한 목적을 찾거나 직접적인 효율성을 기대하는 '예술효용주의'에 대한 프랑스 소설가 프루스트의 견해가 나오는데, 이것은 예술 작품을 해석하는 데 있어 예술가의 체험과 표현을 이해하는 것이 중요하다고 해석한 딜타이의 철학과 맞물린다. 예술가들은 특정한 목적을 달성하기 위하여 예술품을 만드는 것이 아니라, 자신의 체험을 상상으로 표현하고, 그 작품을 통하여 예술가 본인과 그것을 즐기는 사람들이 이해의 과정을 경험하는 것이다. 또한 고려대 논술 시험에서 출제된 제시문 중 하나는 예술이 경제적으로 엄청난 부가가치를 창출하는 것에 대하여 나오고 있는데, 이 역시 물질적인 기준에 의하여 평가하는 것에 반대하였던 딜타이의 철학과 연결된다고 볼 수 있다.

예술효용주의

예술효용주의란 예술이 실제로 엄청난 경제적 효용을 가진다고 보는 관점을 말한다. 즉, 예술작품은 경제적인 가치에 의해서 평가된다는 것이다. 오늘날 예술은 경제적으로 커다란 파급효과를 가지고 있다. 예술 시장이 커지고, 예술 산업이 발달하면서 예술 자체가 엄청난 경제적 부가가치를 창출하는 것이다. 예술 작품 자체가 거대한 금액으로 사고 팔리고, 예술 산업이 커지면서 뉴욕과 같은 예술 도시에서는 경제적 수입과 일자리 마련에 있어 중요한 역할을 하고 있다. 초대형 영화처럼 전 세계적으로 판매되면서 어마어마한 돈을 벌어들이는 소설, 새로운 디자인 개발이나 산업적 발명에 영감을 제공하는 순수 미술 작품 등이 그 예이다. 또한 예술 산업은 화랑, 영화, 라디오, 텔레비전, 패션, 광고, 출판, 관광, 실내장식 등의 산업 분야에서도 엄청난 경제적 가치를 창출하고 있다.

예술지상주의

이에 반해 예술은 예술 그 자체를 목적으로 한다는 주장이 있는데, 이를 '예술지상주의'라고도 부른다. 예술을 위한 예술인 셈이다. 예술의 유일한 목적은 예술 자체 및 미(美)에 있으며, 도덕적, 사회적, 경제적 효용성은 모두 배제해야 한다고 주장한다. 예술의 자율성과 무상성(無償性)을 강조하는 것이다. 프랑스의 소설가인 고티에는 그의 소설 《모팽양(Mademoiselle de Maupin)》에서 "무용(無用)한 것만이 아름답고, 유용(有用)한 것은 모두 추악하다고"라면서 극단적인 예술지상주의를 주장하기도 했다.

예술도덕주의

한편 이러한 관점들과는 달리 예술의 존재이유가 바른 행동과 덕성을 표현하고 장려하는 것이라고 보는 '예술도덕주의'도 있다. 예술이 가진 미(美)와 선(善)이 인간에게 교훈과 모범이 되고, 인간을 고상하게 해준다는 입장이다. 토마스 아퀴나스와 같은 중세 철학자는 완전성, 균형과 조화, 명료성의 세 가지 조건 아래 예술적 미(美)와 도덕적 선(善)이 일치된다고 했다. 공자 역시 예(禮)와 악(樂) 즉, 규범과 예술은 하나라고 보았다. 현대에 와서는 러시아의 작가 톨스토이가 대표적인 예술 도덕주의자이다. 이 관점에서는 예술이 도덕과 무관하다는 것을 앞세워 타락하고 불건전한 문화를 조장하는 예술 활동에 대해서 비판적이다.

논술 문제

Case 1 제시문 〈가〉와 〈나〉에 나타난 삶의 방식을 비교하여 그 차이점을 설명하라. 다음으로, 두 가지 삶의 방식 중에서 어떤 삶의 방식을 선택하는 것이 더 나은지에 대한 자신의 생각을 논술하시오. (600자 내외)

가 테레사 수녀의 솜처럼 가벼운 육신이 고이 잠들어 있다. 평소에 아무것도 소유하지 않았던 그분의 죽음은, 이기심과 욕망이 들끓고 사랑이 메말라 버린 괴롭고 죄 많은 세상에서, 우리에게 한 줄기 샘물마저 말라 버린 것 같은 목마름과 진한 슬픔을 안겨 준다. 그분은 가장 낮은 곳에서 말이 아닌 행동으로, 가난하고 병들고 외로운 사람들을 어머니와 같은 사랑의 손길로 어루만진 70년 봉사의 생을 87세로 마감했다. 반세기 동안 그분이 뿌려 놓은 사랑과 희망의 씨앗들은 그분을 기리는 사람들의 삶을 통해 길이 꽃피우고 열매를 맺을 것이다.

— 중학교《도덕 1》중에서

나 부유하지 못한 사람들은 스스로를 위로하기 위해 부(富)가 가져오는 불행에 대하여 터무니없는 이야기를 꾸며낸다. 마이다스는 자신의 딸을 황금으로 변하게 했고, 모든 것이 손대는 족족 황금으로 바뀌는 바람에 음식조차 먹지 못했다고 하면서 말이다. (……)

그러나 부자가 불행하지 않다는 사실을 사람들은 본능적으로 알고 있고 그것은 최근의 사회과학적 조사에서도 확인되고 있다. 부유해질수록 그만큼 행복해진다는 것이다.

— 레스터 C. 서로우,《부의 구축(構築)》중에서

276

생각 쓰기

가 며칠 후 나는 무노디 경의 도움으로 라가도에 있는 큰 연구소를 구경할 기회를 갖게 되었는데, 이 연구소에는 500여 개가 넘는 연구실이 있었다. 거기서 제일 먼저 만난 연구자는 8년 동안이나 오이에서 햇빛을 추출하는 연구를 하고 있었다. 추출한 햇빛을 유리병에 집어넣어 완전히 밀폐해 두었다가 기후가 좋지 않은 계절에 방출해서 공기를 데우겠다는 것이다. 그는 8년만 더 연구하면 틀림없이 사람들의 정원에 적당한 값으로 햇빛을 공급해 줄 수 있을 것이라고 나에게 장담하면서, 연구 자금이 턱없이 부족하다고 투덜댔다.

나는 또 하나의 연구실에 들어갔다. 그러나 지독한 악취를 못 이겨 뛰쳐나올 뻔했다. 안내하는 사람이 속삭이는 말로 나를 달래면서, 그런 실례를 범하면 연구자들이 크게 노여워할 것이라며 나를 강제로 방에 밀어 넣었다. 그래서 나는 감히 코도 막지 못했다. 이 방의 연구자는 이 연구소에서 가장 나이가 많았다. 그의 얼굴과 수염은 연한 황색이고, 그의 손과 옷에는 오물이 묻어 있었다. 나를 소개하자 그는 나를 꼭 껴안았다(그런 인사는 정말 사양하고 싶었다). 그가 이 연구소에 처음 온 이래로 해온 일은 인간의 배설물을 여러 성분으로 분류하여, 담즙으로 물든 색깔을 제거하고 냄새를 증발시켜 없애고 타액을 걸러내서 원래의 음식으로 환원하려는 연구였다. 그는 매주 연구소로부터 거의 브리스틀 술통만한 용기에 가득 담은 인

278

간의 분뇨를 공급받고 있었다.

— 조나단 스위프트, 《걸리버 여행기》 중에서

나 "자연과학은 법칙이 왕이야. 사과 하나와 사과 하나를 더하면 사과 두 개가 되지? 1+1=2 이건 절대로 변할 수 없는 법칙이거든. 너도 학교에서 배웠을 걸? 가설을 세워서 실험과 관찰을 통해 증명해 내는 게 자연과학의 방법이라고."

"응. 그쯤은 나도 알아."

"하지만 자연과학은 인과법칙에 따라 움직이는 자연 세계를 설명하는 건데 사람들은 인간의 삶도 자연과학처럼 기계적으로 연구하려고 했지. 딜타이는 그것이 옳지 않다고 한 거야. 인문학은 사람들의 생각과 정신을 이해해야 하는데 어떻게 '1+1=2'와 같은 방식으로 설명할 수 있겠어?"

"그러니까 자연과학은 관찰과 실험을 통해서 자연의 인과법칙을 연구하는 학문인데, 인문학은 그런 방법으로 하면 안 된다는 거지?"

"역시 똑똑해."

"뭘, 이 정도 가지고."

"오늘 딸기 선생님이 그림을 그릴 때 자신의 마음을 담으라고 하신 거 기억나?"

"응."

"세상도 그래. 세상을 어떻게 이해하느냐에 따라 세상이 다르게 보이는 거야."

"선생님도 그림이 사진처럼 똑같을 수 없다고 하셨어."

"그래, 맞아. 사람들의 삶은 객관적으로 관찰하거나 잴 수 없는 거니까. 그 사람의 삶은 그 사람만의 의미와 가치가 있는 법이거든."

— 《딜타이가 들려주는 이해 이야기》 중에서

생각 쓰기

가 대학 교원 가운데 이공계와 인문사회계 비율은 55.7% 대 44.3%로 이공계가 조금 더 많고, 학부와 석사과정 학생은 인문사회계가 이공계보다 많다. 그런데 정부의 연구 개발 지원예산(2003년 기준) 중 인문학 분야의 비율은 1.7%에 불과하다. 그나마 정부출연기관의 정책 연구 예산을 제외하면 순수 인문학 연구 지원금의 비율은 0.9% 미만이다. 여기에 사회과학 분야를 합쳐도 인문사회분야 지원액의 비율은 3.2%에 불과하다. 이공계와 인문사회계의 교원과 학생의 수는 엇비슷한데 연구개발 지원 예산의 97%가 이공계로 몰리는 극심한 불균형 현상이 발생하고 있는 것이다.

— ○○일보, 2006년 3월 28일자 기사 중에서

나 인문학은 자연과학이나 사회과학, 공학 등 그 연구 대상이 비교적 분명한 분야와는 달리 일반적으로 인간, 또는 인간이 추구해야 할 가치를 총체적으로 다루는 학문이라고 할 수 있습니다. 인문학(humanities)은 로마시대에 쓰인 'humanitas' 가 그 원조격인데, '인간임', '인간다움' 을 뜻하는 말로 학문적 대상이라기보다는 실천적으로 성취해야 할 목표로 (……)

어떻게 인간적인 삶, 또는 도덕적인 삶을 영위할 것인가에 두어졌다고 할 수 있습니다. (……)

　그리고 인문학이 대학에 자리 잡게 되면서 인문학은 대학과 운명을 같이 하게 됩니다. 이 같은 교육 내용과 방식의 변화에도 불구하고 변화하지 않은 것은 바로 인간적 삶을 영위할 수 있는 가치, 인간적인 삶이 구가되는 사회를 추구하고 만들어 나간다고 하는 반성적인 사고, 비판 정신이라고 생각합니다.

―김인걸, 대담 〈인문학 위기인가〉 중에서

생각 쓰기

실 전 논 술

예시 답안

```
case 1
```
인간이 삶을 살아가는 데 있어 목표로 삼는 삶은 다양하다. 물질적 부를 추구할 수도 있고, 사회적 명성이나 권력을 목표로 할 수도 있다. 반면, 봉사와 사랑의 삶을 목표로 하면서 다른 사람들과 더불어 사는 삶을 목표로 할 수도 있다. 어떤 것을 삶의 목표로 하느냐는 개인의 선택이지만, 현대 사회가 물질적인 부분에만 관심을 가지고 있다는 것은 인간에게 큰 불행이 될 수 있다. 이미 물질문명에 의한 인간성 파괴와 환경 파괴와 같은 심각한 문제들을 통해 불행을 경험하고 있기 때문이다.

부는 인간을 편안하게 해주지만 결코 행복하게 해주지 않을 것이다. 다른 사람들을 이해하면서 사는 삶이 진정한 행복을 가져다 줄 수 있기 때문이다. 다른 사람과 나누지 않는 부는 결국 아무런 삶의 가치도 없는 거짓된 삶일 뿐이다. 이제 다른 사람과 함께 사랑을 나누는 삶을 통해 물질문명의 문제를 극복해야 한다.

```
case 2
```
과학적 방식으로 인간과 사회를 이해하는 것은 합리적이고 객관적인 결과를 가져올 수 있지만, 그것의 목적을 묻지 않는다면 오히려 비합리적인 결과를 가져올 수도 있다. 〈가〉에 나오는 연구실의 실험들이 바로 그것이다. 무엇을 위해 실험을 하는지, 인간 사회가 어떻게 발전해야만 하는지에 대한 근본적인 질문을 하지 않은 채 과학을 맹신할 경우 우스꽝스러운 결과만 있다.

사람들의 생각과 정신은 하나의 법칙이나 실험으로 통해서 알아낼 수 없는 복잡하고 다양한 것이다. 객관적으로 관찰하거나 측정할 수 없기도 하다. 다양한 의미를 파악하고, 가치를 찾기 위해서는 인간을 이해하고, 인간의 역사와 문화를 이해하려는 방식이 필요하다. 이것이 바로 〈나〉에 나오는 인문학이다.

물질문명의 편안함과 안락함 속에 파묻혀 인간에 대한 이해를 버린다면, 결국 인간은 유토피아가 아닌 어두운 미래 즉, 디스토피아를 맞이하게 될 것이다. 〈가〉에서 우습게 그려진 연구실의 모습이 바로 우리의 미래가 될 수도 있다.

case 3

현대 사회에서 가장 높은 가치를 지녔다고 평가되는 것은 물질적 가치이다. 우리가 누리고 있는 모든 문명의 발전들이 과학 기술에 의한 것이고, 이것은 정신적 가치가 아닌 물질적 가치를 추구하는 것이다. 그렇기 때문에 오랜 시간 동안 이해하고 연구해야 하는 인문학은 어쩌면 현대사회와는 걸맞지 않은 가치를 추구하고 있는지도 모른다. 이공계 학문이 내놓는 경제적 가치를 인문학은 줄 수 없기 때문이다. 그러나 우리가 살아가는 사회의 주인은 물질이 아니라 바로 인간이다. 물질문명은 인간이 더 나은 삶을 살기 위한 목표를 도와주는 도구일 뿐 그 자체가 목적이 되어서는 안 된다. 비록 경제적, 물질적 가치를 내놓지 못하더라도, 인문학이 계속적으로 발전해야 하는 것은 우리가 살고 있는 사회가 인간을 중심으로 하기 때문이다.

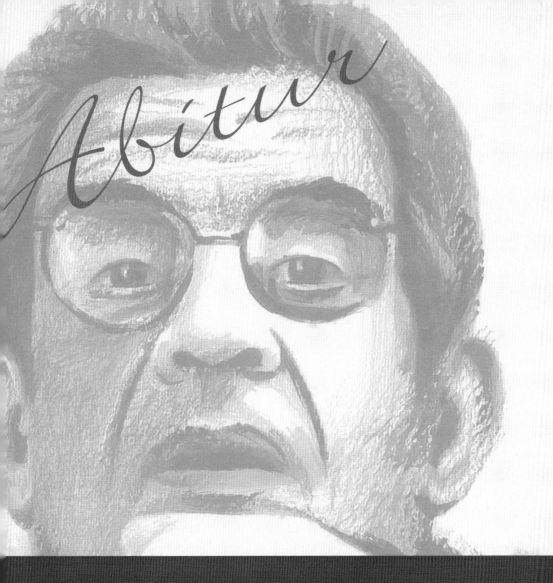

자크 라캉이 들려주는 욕망 이야기

저자_이지영

연세대학교 사회학과를 졸업하고, 연세대학교 대학원에서 사회학 석사 학위를 받았다. 이후 서울 주요 논술학원에서 인문계 논술강사로 활동하고 있으며, 〈박학천 아작 정시 논술〉, 〈박학천 아작 수시 논술〉, 〈한솔 M 플라톤 논술〉시리즈 등 다수의 논술 교재를 집필했다.

Jacques Lacan

자크 라캉과
'욕망'

자크 라캉 주요 개념

1. 자크 라캉을 만나다

1) 자크 라캉은 누구인가 ― 시대와 생애

자크 라캉(Jacques Lacan, 1901~1981)은 프랑스에서 태어난 철학자이자 정신분석학자이다. 프랑스의 고등사범학교에서 처음에는 철학을 배웠으나, 이후 의학과 정신병리학을 배웠다. 1932년 학위를 취득한 후에 정신과 의사 및 정신분석학자로 지냈다. 그는 프로이트의 정신분석학과 소쉬르의 언어학의 영향을 받아, 이를 토대로 하여 언어를 통해 인간의 욕망을 분석하는 이론을 세웠고, 세계적으로 영향을 끼친 학자이다. 대표적인 저서로 《에크리》가 있다.

라캉의 이론은 프로이트의 '무의식'과 소쉬르의 '언어학'의 영향을 받았기 때문에, 이 두 사람의 이론을 이해해야만 알 수 있다. 먼저, 프로이트는 《꿈의 해석》,《일상생활의 정신병리학》,《농담과 무의식의 관계》 등을 통해 인간이 의식과 무의식을 가진 존재라고 보았다. 무의식이란 무엇일까? 우리는 흔히 '무의식적으로 그랬어'라는 말을 하곤 한다. 다시 말하면,

'나도 모르게 그랬어' 라는 것이다. 자신이 행동한 것의 이유를 자신이 모른다고? 이게 도대체 무슨 뜻일까? 대부분의 사람들은 생각을 하면서 행동을 한다. 자신이 어디를 향해서 걸어가는지, 왜 가는지도 잘 알고 있다. 다른 사람과 대화를 나눌 때에도 자신이 어떤 상황에서 어떤 말을 하고 있는지 잘 알고 있다. 바로 인간의 '의식' 을 통해서이다. 그런데 간혹 스스로도 이해할 수 없는 행동을 할 때가 있다. 프로이트는 이것이 바로 '무의식' 을 통해서 나타난다고 보았다. '무의식' 은 자신도 모르게 말실수를 할 때도 나타나는데, 가장 잘 나타나는 것은 '꿈' 을 통해서이다. 꿈이란 무엇인가? 현실에서는 이루어질 수 없는 것들을 꿈을 통해서라도 이룬다면 아마 행복할 것이다. 짝사랑하면서 애태우는 사람과 꿈에서라도 사랑을 실현할 수 있을 것이고, 세계 최고의 부자가 되어 마음껏 누리면서 살아갈 수도 있을 것이다. 하지만, 꿈을 꿔본 사람이라면 누구나 알 수 있듯이, 내가 꾸는 꿈도 내 마음대로 되지는 않는다. 그렇다면, 이 꿈을 만들어 내는 사람은 누구일까? 이것 역시 바로 '나' 이다. 그런데 이 '나' 는 의식적인 '나' 가 아니라, 바로 '무의식' 속의 나라는 것이다. 그렇다면 왜 인간은 대부분 '의식적' 으로만 행동하고, '무의식' 적으로는 행동하지 않을까? 프로이트는 태어날 당시의 인간, 즉 원초적인 형태의 인간은 '욕망' 의 덩어리라고 보았다. 그런데, 인간이 가진 욕망은 모두 실현될 수 있는 것이 아니다. 특히 성(性)과 관련된 것들은 도덕적으로, 사회적으로 용납할 수 없고, 행동으로

옮기는 것은 더더욱 금지된다. 그런데 이렇게 금지된 욕망이 그냥 사라져 버리는 것이 아니라, 정신의 밑바닥에 자신도 모르게 숨겨져 있다는 것이다. 바로 '무의식' 의 형태로 말이다. 도덕적으로, 사회적으로 용인되지 않은 욕망과 그 욕망을 억압하는 것 모두 우리의 '무의식' 이 지배하는 것이다. 그래서 대부분의 사람들은 금지되어 있는 '무의식' 에 의해서 행동하는 것이 아니라, '의식' 에 의해서 행동하는 것이다. 그런데 무의식은 자신도 모르는 상태에서 나타나기도 한다. 바로, 말실수나 꿈과 같은 형태로 말이다. 이러한 프로이트의 욕망과 무의식의 이론을 계승한 것이 바로 라캉이다. 라캉은 욕망을 욕구나 요구로 구별했다. 욕구는 식욕과 성욕과 같은 생물학적인 충동이라면, 요구는 이것이 '언어' 를 통해 표현된 것이다. 그러나 언어를 통해서 모든 것을 표현할 수는 없다. 모든 욕구를 표현하기에 언어 자체는 한계가 있으며, 사회가 용인하는 것 안에서만 표현해야 하기 때문이다. 바로 이 언어의 문제를 라캉은 소쉬르의 '구조주의 언어학' 을 통해서 확장시킨다.

사람들은 보통 자신이 먼저 생각하고, 그 생각한 내용을 표현하거나 전달하는 수단으로써 언어를 사용한다고 여긴다. 그런데, 라캉은 반대로 생각한다. 즉, 언어를 통해서 내가 드러난다고 본 것이다. 우리는 가끔씩 이런 표현을 쓸 때가 있다. '말로 표현하지 못할 정도로 마음이 아프다.' 내가 느끼는 감정을 표현해 줄 언어가 없을 때, 그 감정은 드러낼 수 없게 된다. 인간의 생각이나 감정보다 말(언어)이 더 먼저이고 더 큰 힘을 가졌다는 것이다. 라캉이 "내가 말을 하는 게 아니라, 말이 나를 통해 드러난다"고 말한 것은 인간과 언어의 이러한 관계를 뜻하는 것이다. 또한 우리가 언어를 사용하는 것은 사회적 약속을 지키는 것이다. '개'라는 동물을 보고, 다들 '개'라고 말하는데, 혼자서 '책상'이라고 말한다면 그 사람은 이상한 사람이 되어 버릴 뿐이다. 그런데 이 '개'라는 단어는 실제로 멍멍 짖는 동물 '개'와는 전혀 상관없이 사회적으로 만들어진 것이다. 굳이 '개'라고 부르지 않고, '포도'라고 불러도 된다. 어떻게 사회적 약속을 맺느냐가 중요한 것이지, 그 단어의 실제적인 것과는 전혀 상관이 없기 때문이다. 이것이 소쉬르가 '언어학'을 통해서 정의한 언어의 성격이다. 그런데 인간은 언어의 규칙을 따라야만 한다. 사회적 약속과는 상관없는, 혼자만 아는 말을 쓸 때 그 사람은 '빵상 아줌마'처럼 외계인이 되거나, 정신병자가 되기 때문이다. 이 사회적 규칙을 지키는 것이 라캉에게는 중요한 주제가 되었다.

이렇게 라캉은 프로이트에게서는 '무의식'과 '욕망'을, 소쉬르에게서는 '구조주의 언어학'을 가져와서 자신의 이론을 통해 더욱 확장시켜 나간다. 프로이트의 무의식의 발견은 의식을 통해 주체적으로 행위하는 인간이 실제로는 주체적이지 않은 면도 가지고 있다는 것을 보여준 것이다. 소쉬르의 구조주의 언어학은 인간이 스스로의 사고를 통해서 그것을 타인에게 전달하는 도구인 언어가 실제로는 거꾸로 인간을 지배하는 구조라는 것을 발견한 것이다. 이 두 이론은 인간을 이성을 지닌 주체적인 존재로 정의했던 20세기 당시의 사상적 흐름에 커다란 반향을 이뤘는데, 라캉은 이 둘을 접목하여 더욱 발전시킨 것이다.

2) 욕망, 거울단계, 상상계, 상징계 그리고 실재계

인간은 태어날 당시에는 언어를 모르기 때문에 자기 멋대로 말할 수 있다. 아기들의 옹알이를 들어 보면, 그것은 언어가 아니다. 그렇지만, 아직 사회적 존재가 아니기 때문에 상관없다. 아기들이 어른들이 쓰는 언어가 아니라 제멋대로의 언어를 말한다고 해도 그것은 문제가 되지 않는다. 또한 이 단계의 아이들은 자기 자신을 거울을 통해서 인식하게 된다. 처음에 아이들은 자신의 육체가 조각난 것으로 알다가 거울 속에 비친 자신의 모습을 보게 된다. 처음에는 이것이 자신인지는 알지 못한다. 그러다가 마지막으로 그것이 자신의 모습이라는 것을 알고 크게 기뻐하게 된다. 이 단계를 라캉은 '거울단계'라고 불렀으며, 거울을 통해서 자아가 형성되는 영역을 상상계라고 불렀다.

그러다가, 서서히 이 세상에는 자신만 있는 것이 아니라는 것을 깨닫고, 언어를 배우기 시작한다. 이것을 라캉은 언어의 세계 즉, '상징계'라고 불렀다. 언어를 배웠기 때문에 이제 아이는(혹은 그 아이가 커서 성인이 되어서) 이 언어의 규칙 안에서만 살아가야 한다. 언어를 배우기 이전 단계에서는 아이는 자신의 욕구가 대부분 충족되었다. 그렇지만 이제는 언어로 표현될 수 있는 것만을 원해야 하기 때문에, 언어로 표현되지 못하는 욕구는 항상 충족되지 못한다. 그래서 아이가 원하는 욕구와 그것을 언어로 표현한 요구 사이에는 항상 틈이 생길 수밖에 없다. 이 틈이 바로 '욕망'이며, 욕망은 '결핍'과 같은 의미이다. 그런데 욕망은 혼자만의 것이 아니라 항상 타인과의 관계 속에서 나타나는 것이다. 즉, 자신을 타인의 가장 소중한 것으로 인정받고 싶은 욕망, '인정욕망'인 것이다. 타인에게 인정받고 싶은 욕망은 그대로 실현되지 못하고 계속적으로 좌절되는데, 이 좌절된 욕망이 바로 인간의 무의식이다. 다시 말하면, 무의식이란 타자(다른 사람의 인정 혹은 사회적 인정)의 인정을 받고자 하는 것이다. 이것이 바로 라캉이 말한 "무의식은 타자의 욕망", "욕망은 타자의 언어"이다.

이러한 상상계, 상징계 이외에 마지막으로 실재계를 설명하고 있는데, 실재계는 실제로 존재하는 것이지만, 상징화될 수 없고, 언어화될 수 없다. 그렇기 때문에 실재계는 말로 표현할 수 없는 인간 존재의 궁극적인 한계로써 죽음의 충동이나 주이상스(Jouissance)와 연계된다.

주이상스(Jouissance)
주이상스는 상징계를 넘어서는 즐거움을 말한다. 간단히 말하자면, 고통스러운 즐거움이다. 목표를 위해서 힘든 노력을 할 때, 힘이 드는데 동시에 즐거움을 느끼는 경우가 있는데, 이 상태를 주이상스라고 말한다. 또한 이성이나 사회적 규범의 관점에서는 전혀 즐거운 것이 아닌데도, 묘하게 사람들이 끌리는 것을 말하기도 한다.

2. 교과서 속에서 만난 라캉

1) 자아의 의미와 그 실현

인간은 자신이 누구인지를 스스로 확인하고 싶어 한다. 자신의 부족한 점은 무엇이고, 뛰어난 점은 무엇인지, 현재의 나는 어떤 모습인지 알고 싶어 한다. 이와 같은 과정에서 확인하고자 하는 자신의 모습을 자아(自我)라고 한다.

그러면 자아를 안다는 것은 무엇을 뜻하는가? 나의 자아를 안다는 것은, 먼저 내가 원하는 것이 무엇인지를 안다는 뜻이다. 우리는 대개 자기가 원하는 것, 즉 소망이 무엇인지 확실히 안다고 믿지만, 실제로 스스로 원해서 무엇인가를 하고 난 후에 내가 원했던 것은 이것이 아니었다고 후회하는 사람을 자주 볼 수 있다. 따라서, 내가 나를 안다는 것은 내가 하려고 하는 것을 막연하게 아는 것이 아니라, 확실하게 아는 것을 뜻한다. (……)

나는 사회 속에서 다른 사람들과 일정한 관계를 맺으며 살아가고 있다. 따라서, 사회인으로서 내가 해야 할 행동과 해서는 안 될 행동이 있다. 또 하고 싶지 않아도 해야 할 일이 있고, 반드시 해야 하지만 능력이 미치지 못해서 못하는 일도 있다. 이러한 점에서 볼 때, 내가 할 수 있는 것을 아는 것만으로는 충분하지 못하다. 사회적 존재로서 내가 할 일과 해서는 안 되는 일이 무엇인지를 알 때, 비로소 자아를 안 것이라고 할 수 있다.

— 중학교 《도덕 1》 중에서

중학교 《도덕 1》 교과서에서는 '자아' 의 의미와 그 실현에 대하여 설명하고 있다. 교과서에서 말하고 있는 '자아' 란 내가 누구인지를 스스로 아는 것이다. 바로 '자아 정체성' 이다. 그리고 이 자아 정체성은 단지 자신의 정체뿐만 아니라, 무엇을 해야 하는지, 어떻게 해야 하는지 아는 것까지 포함하는 개념이다. 즉, 정체성은 우리가 스스로에게 가지고 있는 '자기 관념' 이면서 동시에 우리를 사회적으로 규정하는 것이다.

예를 들어, 남성과 여성은 각각 자신의 성(性)을 아는 것으로만 끝나는 것이 아니라, 각자의 성에 걸맞은 행동을 하고, 또 그렇게 하도록 사회적으로 규정된다. 정체성이라는 것은 개인과 사회를 연결해 주는 고리인 셈이다.

라캉이 말하는 '거울단계' 에서 자신이 누구인지를 인식하게 되는 것이 바로 '자아 정체성' 을 통해 스스로 자신이 다른 사람들과는 구별되는 개별적인 존재라고 아는 것이다. 자신을 다른 사람과 다른 존재라는 것을 알지 못한다면, 그 사람은 영원히 정체성을 가질 수 없다. 라캉은 이것을 가리켜 '상상적 동일시' 라고 하는데, 만일 어린 아이가 자신이 엄마와 분리된 독립적인 존재라는 사실을 인식하지 못하게 되면, 그 아이는 정체성을 가질 수 없는 것이다.

다음으로 자아 정체성을 확립하기 위해서는 내가 사회에서 사람들과 일정한 관계를 맺으면서 살아가는 것을 알아야 한다. 해야 할 행동과 해서는 안 될 행동을 알아야 하는 것이다. 프로이트는 여기에서 바로 실현되지 못하는 욕망이 무의식의 차원으로 나타난다고 보았고, 라캉은 역시 사회적으로 용인될 수 없는 욕망은 실현되지 못한다고 보았고, 이것은 상징계에서 언어를 통해서 정해지는 것이라고 보았다.

그런데 만일, 스스로 인정하는 나와 사회적으로 인정받는 나 사이에 거리가 있다면 어떻게 될까? 사회를 살아가는 데 있어서 어떤 쪽을 선택해야 할까? 사회적으로 인정받는 나를 선택해야 할 가능성이 더 높다. 즉 자아정체성의 확립은 나의 선택이 아니라 실제로는 나를 둘러싼 타인들과 세계의 선택일 가능성이 더 높다는 것이다. '내 자리'는 실제로 내가 정하는 것이 아니라 '타자'에 의해 정해지는 것이다. 만일, 사회적인 인정을 버리고 내 스스로의 선택만을 따라 살아갈 경우, 나는 더 이상 사회에서 정상적인 형태로 삶을 살아가기 힘들다. 예를 들어, 정신병을 앓는 환자들은 나와 내 밖의 것들 사이에 괴리가 없는 경우가 있다. 멀쩡한 사람들이 보면, 안쓰럽지만, 막상 정신병자 스스로는 별다른 걱정 없이 자신에게 빠져서 살아가게 된다. 그러나 그 삶은 사회적인 인정을 받지 못하기 때문에 격리되어 감금당한 채 살아갈 수밖에 없는 것이다. 그렇기 때문에 라캉은 인간이 주체적인 상태에서 자신을 중심으로 살아가는 존재가 아니라고 말한다. 오히려 자아의 중심은 내가 아닌 타자(타인과 타인을 포함한 사회)의 중심이다. 그런 이유로 사유의 능력을 가진 주체적인 인간을 중심에 두었던 데카르트의 말을 비틀어 버린다. 데카르트는 "나는 생각한다, 고로 존재한다"라고 말했지만, 라캉은 이렇게 말하는 것이다. "나는 존재하지 않는 곳에서 생각한다, 고로 생각하지 않는 곳에서 존재한다."

2) 욕구와 욕망의 충족

우리는 당장 하고 싶은 것이 많다. 또 원하는 것도 많다. 이렇게 우리가 하고 싶어하거나 원하는 것을 '욕구' 또는 '욕망'이라고 부른다.

우리는 누구나 욕구와 욕망을 채워 가면서 살아야 하며, 그런 과정에서 기쁨, 만족, 행복을 느낀다. 우리는 하고 싶은 것을 못하게 금지당하거나, 원하는 것을 이루지 못하면, 오히려 더 많은 욕구와 욕망을 느끼면서 삶에 대해 불만과 좌절을 경험한다. 그래서 욕구의 만족은 삶에서 대단히 중요하다. 그러나 모든 욕구와 욕망을 만족시킨다는 것은 불가능하다. 또, 어떤 욕망도 결코 완전히 만족되지는 않는다. 배가 고플 때 음식을 어느 정도 먹으면 더 먹고 싶은 욕구가 없어지지만, 시간이 지나면 다시 배가 고파진다. 대체로 좋은 물건이나 재물에 대한 욕망 등은 아무리 채워도 부족감을 느끼기 쉽다. (……)

우리는 자신의 욕구를 충족시키는 데 있어서 그것을 적절히 조절하는 방법이나 능력을 지녀야 한다. 물론, 우리의 모든 욕구와 욕망을 무조건 참고 부정하라는 것은 아니다. 그렇게 사는 것은 인간다운 삶을 부정하는 것이 될 수도 있다. (……)

우리는 먼저 자신의 욕구와 욕망이 옳은 것인가, 그른 것인가를 정확하게 알고, 만족의 정도를 생각해야 한다. 즉, 우리는 내가 충족시키고 있는 이 욕망이 과연 이 상황에 적절한 것인가, 아니면 좀 지나친 것인가, 또는 너무 부족한 것인가를 이성적으로 판단할 줄 알아야 한다.

우리는 "선한 일을 보면 목마른 것같이 하며, 악한 일을 들으면 귀머거리처럼 하라"는 말처럼, 평소에 좋은 말을 귀담아듣고, 좋은 행동을 즐겨하는 생활을 하여야 한다. 만약, 이와 같이 자신의 욕구나 욕망에 대하여 적절히 조절할 수 있는 능력을 기르지 않으면, 내 몸 하나도 내 뜻에 따라 움직일 수 없는 사람이 될 것이다.

— 중학교 《도덕 1》 중에서

중학교 《도덕 1》 교과서에서는 '욕구와 욕망의 추구'에 대해 설명하고 있다. 우리가 하고 싶어하거나 원하는 것을 욕구나 욕망이라고 설명하면서, 이러한 욕구나 욕망을 적절하게 조절하여 충족하여야 한다고 설명한다.

'욕망'은 라캉의 이론 중 중요한 주제 중의 하나이다. 라캉에게 영향을 주었던 프로이트의 경우 인간은 애초에 욕망의 덩어리인 채로 이 세상에 태어난다고 한다. 갓난아기일 때에는 자신의 욕망을 충족하기 위하여 행동하고, 부모는 이러한 욕망의 대부분을 충족하여 준다. 그러나 자라나면서, 욕망은 차츰 억압당하고 금지된다. 억압된 욕망은 사라지는 것이 아니라, 무의식의 형태로 우리의 정신 한 편에서 자리 잡고 있다. 그러다가, 의식의 틈 사이로 무의식이 나타난다. 바로 우리가 '나도 모르게' 라고 표현하는 행동 즉, 말실수나 농담과 같은 형태를 통해서 말이다.

라캉 역시 인간의 욕망에 대해 프로이트의 이론을 받아들인다. 그런데, 라캉은 교과서에서와는 달리 욕망과 욕구를 좀 더 세밀하게 나누어서 설명한다. 인간은 욕구를 가지고 있는데, 이 욕구가 언어로 나타나는 것이 요구이다. 물론, 이 때 요구는 대부분 사회적으로 용인된 선상에서만 인정되고 추구될 수 있다. 그런데 욕구 가운데에서는 언어로 표현되지 못하는 욕구들이 있다. 이 욕구를 가진 본인도 그것이 무엇인지를 알지 못하는 경우가 대부분이다. 프로이트가 말한 무의식과 같은 것이다. 이것을 라캉은 '욕망' 이라고 불렀고, 욕망은 '결핍' 과 같은 말이다. 본인은 확실하게 알지 못하거나 전혀 알 수 없기도 하지만, 대부분 인간의 욕망은 타자에게 인정받고 싶어 하는 욕망이다. 타자란, 나와 다른 사람을 뜻하기도 하고, 나를 둘러싼 사회를 뜻하기도 한다. 라캉은 이를 '무의식은 타자의 욕망' 이라고 말한다.

그런데 타인이나 사회와 관계없이 완전하게 자신이 원하는 것이 무엇인지를 아는 사람은 존재하지 않는다. 왜냐하면, 인간은 끊임없이 타자들과의 관계 속에서만 살아갈 수 있기 때문이다. 내가 간절히 원한다고 생각하지만, 실제로 그 욕망은 자라면서 타인이나 사회에 의해서 영향을 받은 것이다. 교과서에도 나와 있듯이 나는 내 욕망을 실현하기 전에 그 욕망이 옳은 것인지를 가늠해 보아야 하고, 이성적으로 판단해야만 한다. 그런데 그 옳고 그름 역시 나만의 기준이 아니라는 것이다. 연쇄살인범이 자신의 욕망을 실현한 것은 명백히 잘못된 것이다. 그 스스로는 그것이 옳은 일이라고 여길지도 모르지만, 그를 둘러싼 타자들의 기준에서 판단해야만 한다. 대부분 타자들의 기준에 따라 욕망을 조절하고 판단하면서 실현하는 것은 문제가 없다. 하지만 만일 타자들의 기준이 너무도 강력할 경우, 내가 원하는 욕망은 계속 금지되거나 억압될 수밖에 없다. 천재적인 예술가들은 그들이 살았을 당시에는 미친 사람으로 판단되는 경우가 많았다. 천재적인 화가인 고흐의 경우에도 실제로 정신병을 앓기도 했고, 정신병원에 갇히기도 했다. 그의 욕망을 타자들이 이해하지 못했기 때문이며, 받아들이지 못했기 때문이다. 교과서에서처럼 욕망은 적절하게 조절하고, 계속적으로 이성의 판단을 필요로 한다. 그러나 동시에 나의 욕망을 제어하고 억압하는 것의 정체가 무엇인지에 대한 판단도 필요하다.

데카르트(Rene Descartes, 1596~1650)

프랑스 학자인 데카르트는 17세기 방법적 회의론을 통해서 모든 것을 의심해도 결코 의심할 수 없는 것이 실제로 존재한다는 것을 밝혀냈다. 그것이 바로 생각하는 나 자신이다. '나는 생각한다, 고로 존재한다(Cogito, ergo sum)'. 지극히 상식적인 말처럼 보이지만, 이 명제는 근대 철학을 시작하는 훌륭한 출발점이다. 르네상스 시기를 거치면서 인간은 신(神)의 영역에서 벗어나긴 했지만, 아직까지 인간만이 가지고 있는 생각할 수 있는 능력인 '이성(理性)'이 모든 사고의 토대가 되지 못했기 때문이다. 데카르트로부터 시작된 '이성(理性)'에 대한 믿음은 사회의 모든 영역에 근본적인 변화를 가져오게 되었다. 과학기술의 발전과 산업혁명, 시민혁명 그리고 자본주의까지 오늘날 우리가 살고 있는 사회를 설명하는 데 있어서 그 출발점이 바로 데카르트라고 해도 지나친 말이 아니다.

3. 기출 문제에서 만난 라캉

라캉의 글이 직접적으로 논술 시험에 제시된 적은 그다지 많지는 않다. 2007년 서강대 수시 2학기에 라캉의 〈선과 빛〉이라는 글이 제시되었을 뿐이다. 그러나 라캉의 이론은 논술 시험이 좋아하는 주제 중의 하나이다. 바로, '인간이란 무엇인가?'와 관련된 정체성을 다룬 문제, 그리고 인간의 욕망에 대한 문제 등은 자주 출제된 바 있으며, 그 난이도 또한 상당히 높은 편에 속한다. 라캉의 이론 자체가 교과과정에서 직접적으로 다룰 수 있는 수준이 아니기 때문에 특히 어려울 수밖에 없다.

2007년 서강대 수시 1에서 다루어진 '자아'의 문제, 2006년 한양대 정시 논술에서의 '인간 정체성'의 문제, 2005년 연세대 정시 논술의 '욕망'의 문제 등은 모두 라캉의 이론과 연계해서 생각해 볼 수 있는 내용들이다.

그 중에서 직접적으로 라캉의 글이 제시되었던 문제를 보자면, 내용 자체는 의외로 어렵지 않다. 바다에 떠 있는 깡통을 본 꼬마가 라캉에게 "저 깡통 보이죠? 그렇지만 그것은 아저씨를 못 보지요"라고 말하면서 재미있어 한다. 그런데 라캉 자신은 그다지 그 사실이 재미있지 않았는데, 왜 재미가 없을까라는 것을 고민하는 내용이다. 그러면서 내가 깡통을 보듯이, 깡통 역시 나를 보고 있다는 것을 깨닫는다. 결국 나는 바라보기만 하는 것이 아니라 보여지기도 한다는 것을 알게 된다.

지극히 당연한 이야기로 보이는 이 내용은 실제로 그렇게 쉬운 주제는 아니다. 이것은 라캉이 중요하게 생각했던 '주체'와 '대상'의 문제이기 때문이다. 나는 깡통을 바라보는 주체이면서 동시에 깡통에게 보여지는 대상이다. 깡통도 마찬가지이다. 라캉은 주체와 대상 어느 쪽도 우월한 위치에 있는 것이 아니라 대등한 관계에 있다는 것을 상징적으로 보여주고자 한다.

앞서 살펴봤듯이, 라캉은 인간을 '주체적인 존재'라고 보지 않았다. 이것은 데카르트 이래로 인간을 주체적인 존재로 인식해 왔던 서양 철학에 반기를 든 것이다. 물론, 이러한 사상적 흐름은 라캉의 독창적인 것은 아니다. 라캉 이전에 프로이트의 정신분석학과 소쉬르의 구조주의 언어학을 시작으로 하여 있어 왔고, 라캉 이후에는 푸코나 데리다 등의 학자들에 의해 이어지고 있다. 이러한 사상적 흐름에서는 인간이 주체적으로 사고하고 그 사고에 따라 행위하는 자율적인 존재로 본 것이 아니라, 인간을 둘러싼 구조에 의해 지배받는 존재라고 보았다. 라캉이 "내가 말을 하는 게 아니라, 말이 나를 통해 드러난다"라고 말한 것을 보면 확실하게 알 수 있다. 나라고 하는 인간 존재는 내 의지와 사고 능력에 따라 말을 하는 것이 아니라, 나 이전에 존재하는 말의 구조(언어의 구조)에 의해 말을 할 수밖에 없고, 그 말을 통해서 나를 드러내는 것이다.

이런 관계가 제시문의 나와 깡통의 관계에서도 그대로 드러나는 것이다. 사고능력을 가진 내가 한낱 사물인 깡통과 대등한 관계라니? 물론, 라캉의 이 말을 곧이곧대로 받아들여서는 안 된다. 생명이 없는 깡통을 인간과 대등하게 본 것이 아니라, 나는 나를 바라보는 대상에 의해서 '나'임을 인정받는다는 것을 상징적으로 표현한 것이다. 라캉은 내가 누구인지를 아는 것은 나 스스로에 의해서가 아니라, 타자에 의해서라고 말했다. 내가 나임을 알게 되는 것은 나를 바라보는 바다 위의 깡통에 의해서인 것이다.

실 전 논 술

논술 문제

case 1 제시문 〈가〉의 아기와 제시문 〈나〉에 나오는 '나'는 어떤 공통점을 가지고 있을까? 제시문들의 공통점을 찾아보고, 이를 바탕으로 '자아 정체성'에 대한 자신의 생각을 논술하시오. (600자 내외)

가 거울을 본 다음부터 아기 준오는 혼자 놀다가도 거울 앞으로 기어갔다. 아기 준오는 거울 속에 비친 모습을 혀로 핥아도 보고 냄새도 맡아 보았다. 때론 거울에 기대어 거울 속의 자신을 뚫어지게 보았다. 거울 속 모습은 아기 준오가 하는 대로 똑같이 따라했다.

이윽고 아기 준오는 눈, 코, 입, 귀, 목, 배, 팔, 다리가 하나로 붙어 이어져 있는 것을 깨달았다.

'꺅! 이게 나야! 그렇지, 엄마?'

아기 준오는 거울 속 자신을 보고 환하게 웃으며 소리를 질렀다. 그리고 거울표면을 딱딱 두드렸다.

"그래, 준오야. 이게 너야."

뒤에 서 있던 엄마가 말했다.

'악! 이게 나구나. 내가 이렇게 생겼구나.'

아기 준오는 엄마를 올려다 보았다.

"엄마랑 준오랑 똑같이 생겼지? 엄마 머리, 준오 머리. 엄마 팔, 준오 팔. 엄마 다리, 준오 다리."

아기 준오는 엄마 말대로 거울 속의 자신과 엄마를 번갈아 보며 하나씩 맞추어 보았다. 아기 준오는 거울 속의 엄마를 보며 좋아서 꺄꺄 신나게 소리를 질렀다.

그 후로 아기 준오는 엄마의 모습을 유심히 관찰했다. 그리고 자신과 엄마의 모습을 확인하고 또 확인 했다. 무엇이든지 잘하는 엄마. 그런 엄마가 나라고 생각하니 마냥 좋았다. 그래서 아기 준오는 엄마만 보면 웃어 댔다. 까르륵, 까르륵.

— 《자크 라캉이 들려주는 욕망 이야기》 중에서

나 농구를 할 때마다 친구들은 기석이를 찾는다. 키도 크지만 다른 친구들보다 농구를 훨씬 더 잘 하기 때문이다. 기석이가 들어간 편이 지는 경우는 거의 없다. 찬수는 기석이보다 키가 더 크다. 그렇지만 친구들은 찬수를 자기네 편으로 삼으려 하지 않는다. 찬수는 농구를 잘 하지 못할 뿐 아니라, 운동을 좋아하지 않기 때문이다. 찬수는 책 읽는 것을 좋아한다.

그런데 나는 어떤가? 나 자신을 생각해 보면 다른 사람에게 내세울 특징이 없는 것 같은데, 친구들은 나에 관해서 가끔 이야기 한다고 한다. 도대체 나의 정확한 모습은 무엇일까? 또, 친구들은 나에 대해 어떤 이야기를 할까?

— 중학교 《도덕 1》 중에서

생각 쓰기

생각 쓰기

가 "삼촌, 있잖아. 사랑받고 싶다는 욕구를 말이야, 손거울을 찾아 달라고 하거나 장난감을 사 달라고 하는 것 말고 또 어떻게 표현할 수 있어?"

삼촌이 피식피식 웃었다.

"그냥 '날 사랑해 주세요' 하고 말하면 되지."

아, 그걸 누가 모르나! 그렇게 직접적으로 말하기가 어려우니까 그렇지!

"아니면 사랑받을 짓을 하면 되지."

삼촌은 계속 도움 안 되는 말만 했다. 나는 신경질적으로 2층 침대에 올라가 벌렁 눕고 이불을 툭툭 찼다.

"아니면 러브레터를 보내면 되지."

삼촌, 자기 일 아니라고 정말 쉽게 말한다! 난 속으로 이를 갈았다.

"누가 우리 장조카의 마음을 이리도 어지럽히느뇨?"

"악! 깜짝이야!"

갑자기 삼촌 얼굴이 내가 누워 있는 2층 침대 위로 불쑥 올라왔다.

"말이란 도구를 왜 사용하지 않느뇨? 삼촌이 봤을 때 좋아하는 여자에게 사랑을 고백하는 건 사회적으로 아무 문제가 없으니 말해도 돼."

"그건 당연한 거 아니야? 사랑 고백하는데 무슨 사회적 문제를 따져?"

"아니지, 아니지."

삼촌이 검지를 세워 좌우로 흔들었다.

"마음에 생기는 욕구들을 모두 요구할 수는 없어. 엄마를 사랑한다고 엄마랑 결혼하자고 요구할 수 있어?"

"그런 말도 안 되는 짓을 누가 해?"

"그렇지? 요구는 그런 거야. 우리 마음속엔 규율 반장 같은 게 있어서 욕구가 생겼다고 때와 장소 안 가리며 모두 하려고 드는 게 아니야. 사회적으로 아무 문제가 없는 것을 골라서 요구하는 거지."

그렇다면 난 수진이를 좋아하는 게 사회적 문제를 일으킬까 봐 자꾸 말을 못하고 망설이는 걸까? 하지만 사회적 문제가 아니더라도 이건 시급해. 영철이가 언제 끼어들지 모른단 말이야.

"요구는 이런 역할을 해. 마음에 어떤 욕구가 생기면 그게 사회적으로 문제가 있나 없나 일단 거름망에 거르지. 사회적으로 문제가 없는 욕구는 재빠르게 뇌로 전달돼서, 그 욕구를 요구해도 된다고 인체에게 명령하는 거야."

"이야, 난 인간의 마음에 그런 장치가 있는지 몰랐네."

— 《자크 라캉이 들려주는 욕망 이야기》 중에서

🄽 사춘기가 되면서 제게 고민이 생겼습니다. 언제부터인가 야한 내용의 책들을 가까이 하게 되었습니다. 제가 그런 종류의 책을 가까이하게 된 것은 서점에서 책

을 고르다가 야한 내용의 책을 가슴 두근거리면서 보고 나서부터인 것 같습니다.

그 뒤, 저는 책을 산다는 핑계로 서점을 돌아다니기도 하고, 또 부모님 몰래 이상한 장면이 나올 말한 비디오테이프를 빌려다 보았습니다. 후회도 많이 했습니다. 그러나 잠시뿐입니다. 부모님께서 집을 비우시기만 하면 이상한 마음이 발동합니다. 학교에서는 순진하고 착한 학생으로 알려져 있는 내가 왜 이러는지 모르겠습니다. 언제까지 이러한 정신 상태로 살아야 합니까?

— 중학교 《도덕 1》 중에서

생각 쓰기

case 3 제시문 〈가〉와 〈나〉는 모두 자신이 원하는 일을 하면서 행복을 느끼는 것에 대해서 나와 있다. 두 글을 바탕으로 하여, 자신이 원하는 일을 하는 데 있어 중요한 것이 무엇인지 자신의 생각을 논술하시오. (600자 내외)

가 내 친구 은빛이의 아버지는 유명한 도예가이다. 어느 날, 나는 은빛이를 따라 도자기 굽는 가마에 간 적이 있는데, 그 옆의 전시실에는 아름다운 도자기들이 진열되어 있었다. 은빛이는 그 도자기들이 모두 아버지의 작품이라고 자랑을 했다. 나는 은빛이 아버지께 여쭈어 보았다.

"언제부터 도예가가 되겠다고 생각하셨습니까?"

나는 은빛이 아버지께서 어렸을 때부터 꿈이었다고 말씀하실 줄 알았다. 그러나 뜻밖의 말씀을 하셨다.

"내가 도예를 한 지는 겨우 6년밖에 되지 않았다. 그전에는 회사에 다니면서 물건을 파는 일을 했지. 그런데 회사를 그만두게 되면서 우연하게 이 일을 시작했는데, 나도 깜짝 놀랐단다. 일이 즐거운 것은 말할 것도 없고, 내게 도예를 잘 할 수 있는 재능이 있다는 것도 처음 알았기 때문이지. 그래서 비록 늦게 시작했지만, 열심히 하고 있고, 무척 행복하단다."

그러면서 은빛이 아버지는 이렇게 말씀하셨다.

"사람들은 누구나 자기만의 재능을 가지고 있단다. 그것을 일찍 발견하면 할수록 그만큼 더 행복해지는 거지."

— 중학교 《도덕 1》 중에서

나 "삼촌, 지금 행복해?"

"행복해."

무뚝뚝한 말투이긴 해도, 삼촌은 조금의 고민도 없이 행복하다고 말했다. 난 삼촌이 행복해 보이지 않는데.

"왜 행복한데? 삼촌은 항상 공부 때문에 할아버지랑 다투잖아."

그제서 삼촌은 나를 돌아보았다. 그리고 활짝 웃었다.

"할아버지랑 다투는 건 안타깝지만 그건 할아버지 욕심이지. 할아버지와 다투기 싫어서 내가 하고 싶지 않은 걸 평생 하고 살 순 없잖아. 내가 하고 싶은 걸 하고 산다는 건 정말 행복한 일이야. 그걸 지키기 위한 투쟁도 어찌 보면 행복한 일이야. 네가 앞으로 어떤 일을 할지 모르겠지만 남들이 시키는 일 말고 진짜 네가 좋아하는 일을 해. 그럼 그땐 이 삼촌이 왜 행복한지 알거다."

삼촌은 대충 중요한 말은 다 했다는 듯 다시 돌아앉아 책을 보며 한 마디를 더 흘렸다.

"따지고 보면 사람은 태어나면서부터 다른 사람들의 욕망에 의해 자라는 거니까."

난 앉은 자리에서 튀어나가 삼촌이 보던 책을 덮으며 물었다. 삼촌이 귀찮다는 듯 짧게 한숨을 쉬었다.

"그게 무슨 말이야?"

"뭐가?"

"다른 사람의 욕망이 뭐?"

"한번 생각해 봐. 욕망이 순수하게 나의 마음에서 저절로 생긴 거라면 아마 원하는 것을 얻었을 때 만족감을 느끼겠지. 하지만 욕망은 순수하게 나의 마음에서 생긴 것보다 다른 사람에 의해 만들어진 경우가 많기 때문에 내가 아무리 잘 해도 다른 사람이 인정하지 않으면 만족감을 얻을 수 없어."

"할아버지가 삼촌의 지금 모습을 인정하지 않는 것처럼?"

삼촌이 씩 웃으며 고개를 끄덕였다.

"어찌 보면 욕망은 남에게 인정받고 싶은 마음일지도 모르겠다. 너도 누군가에게 인정받고 싶잖아."

수진이. 나도 수진이한테 수진이가 좋아하는 것으로 인정받고 싶어. 하지만 지금은 그런 것이 없으니 한숨이 나왔다.

"난 아직 내가 뭐가 되고 싶은지 모르는데."

"네 나이에 당연한 거야, 실망할 필요 없어. 평소에 끊임없이 자기 격려를 하면 자신감도 생기고 뭔가 원하는 것이 생길 거야. 그러다 보면 어느 순간 자신이 한 말처럼 돼 있는 나를 발견하게 되지."

― 《자크 라캉이 들려주는 욕망 이야기》 중에서

생각 쓰기

실 전 논 술

예시 답안

case 1 제시문 〈가〉와 〈나〉에서는 모두 인간이 자신이 누구인지를 아는 것 즉, 자아 정체성에 대하여 설명하고 있다. 먼저 제시문 〈가〉에 나오는 아기 준오는 거울을 통해서 자신을 알게 된다. 처음엔 거울에 비친 사람이 자신인지 몰랐지만, 차츰 자신이라는 것을 알게 된다. 그러다가 거울에 비친 엄마를 통해서 더욱 확실하게 자신을 알아가게 된다. 엄마와 똑같은 존재가 된다는 것이 아기 준오에게는 매우 기쁜 일이다. 마찬가지로 〈나〉에 나오는 '나' 역시 정확한 나의 모습을 알고 싶어 한다. 그런데 나의 모습은 나만 봐서는 알 수 없다. 거울에 비친 자신과 엄마의 모습을 통해서 스스로를 알아가는 준오처럼 다른 사람들에게 평가받는 나의 모습을 통해서 비로소 내가 누구인지를 알 수 있는 것이다.

사람은 누구나 사회적 관계 속에서 살아가게 된다. 그 관계 속에서 내가 누구인지를 알게 된다. 만일 혼자 사회에서 격리되어 혼자 살아가는 사람이 있다면, 그 사람은 자신이 누구인지 알지 못할 것이다. 그리고 사회에서 살아가는 것이 아니기 때문에 알 필요도 없다. 따라서 '나'를 나타내는 '자아'라는 것은 내가 스스로 판단하는 나와 타인들에 의해 판단되는 나. 이 두 가지 모습 모두를 의미하는 것이다.

case 2 제시문 〈가〉에서는 인간의 욕구와 요구에 대하여 설명하고 있다. 인간의 욕구는 굉장히 다양하고 복잡하지만, 모두 실현되거나 드러나는 것은 아니다. 사회적으로 문제가 없는 욕구만이 요구되는 것이다. 제시문 〈나〉에 나오는 주인공은 바로 이 문제 때문에 고민을 하고 있다. 야한 책과 비디오테이프를 보는 자신의 행동이 사회적으로 올바르지 않다는 것을 알기 때문이다. 부모님을 비롯한 주위 사람들이 그 사실을 알게 되면 야단을 치거나 놀림감이 될까 봐 두려운 것이다. 그런데 더 큰 문제는 두려우면서도 자신도 모르게 계속 그 행동을 반복하는 것이다.

자신이 행동하는 것이 올바르지 않다는 것을 알면서도 계속 빠져들어 헤어 나올 수 없다면, 주위 사람들에게 솔직하게 고민을 털어놓는 것이 필요하다. 혼자서만 끙끙 앓으면서 고민을 하기 때문에 문제는 해결되지 않으면서, 죄책감은 더욱더 커질 것이기 때문이다. 자신의 고민을 털어놓고, 그것에 대해 함께 고민한다면 문제는 의외로 쉽게 풀릴 수도 있다. 자신의 욕망을 부끄러워하면 숨기거나, 강제적으로 억압하는 것보다 타인들에게 자신의 욕망을 보이면서 인정을 받는 것이 필요하다. 이러한 과정이 혼자서 죄책감을 느끼는 것보다 문제를 긍정적으로 해결할 수 있는 방법이 될 것이다.

case 3 인간이라면 누구나 자신이 원하는 것이 무엇인지, 자신이 어떤 일을 하고, 어떤 사람이 되고 싶은지 생각하고 고민하게 된다. 그 과정을 통해서 자신이 원하는 일을 실현하기 위해서 노력하는 것이다. 〈가〉에 나오는 은빛이 아버지는 늦었지만 자신이 원하는 일을 발견하고 노력하면서 행복을 느낀다. 〈나〉의 삼촌 역시 아버지와 갈등을 겪기는 했지만, 자신이 원하는 일을 위해 노력하기 때문에 행복한 것이다.

이렇게 스스로 원하는 일을 발견하고 그것을 실현하기 위해서 노력하는 것은 행복한 것이다. 하지만, 자신이 원하는 일보다는 부모가 원하는 일을 하거나 사회적으로 인정받기 위해서 노력하는 경우가 많다. 이럴 경우 갈등은 피할 수 있지만, 진정한 행복을 찾기는 힘들 것이다. 행복은 누군가가 주는 것이 아니라, 스스로 찾아가는 과정 속에 있는 것이다. 자신이 아닌 다른 사람이나 기준의 잣대로 인생을 사는 것은 불행한 일이다. 물론, 사회적인 규범을 완전히 무시해서는 곤란하다. 하지만 내가 아닌 다른 사람의 욕망에 의해서 사는 것이 아니라, 자신이 원하는 일을 스스로 발견하고 그것을 실현하고 지키기 위해서 노력하는 과정에서 우리는 행복을 느끼게 된다.

철학자가 들려주는 철학이야기 080

유성룡이 들려주는 징비록 이야기

저자_**정명환**
연세대학교 경제학과를 졸업하고 종로학원 강사로 활동하고 있다. 저서로는
《새로운 언어 시작하기》,《언어와 논술의 만남》,《뻔뻔통합수리논술》(감수)
등이 있다.

유성룡의
'징비록懲毖錄'

유성룡 주요 개념

1. 서애를 만나다

1) 서애 유성룡은 어떤 시대를 살았나?

유성룡은 1542년 10월(중종 37년) 경상도 의성에서 아버지인 황해도 관찰사 유중영과 어머니 안동 김씨의 아들로 태어났다. 유성룡은 어렸을 때부터 매우 총명하여 6살에 《대학》을 익혔고, 21살에 퇴계 이황의 문하에 들어갔다. 퇴계 이황은 일찍이 유성룡의 재능을 알아보고 '하늘이 내린 사람'이라고 하였다.

'하늘이 내린 사람' 유성룡은 관직 생활을 하면서 중요한 임무를 수행했다. 그는 뛰어난 지도력과 판단력이 있었는데, 특히 이순신을 파격적으로 승진시킴으로써 임진왜란에서 큰 공을 세우도록 도왔다. 당시 이순신의 직위는 지방 현감으로 지금의 면장 정도였다. 이순신의 승진에 따른 전라좌수사 임명을 많은 대신들이 반대하였지만 유성룡과 선조의 단호한 의지에 파격적인 승진을 할 수 있었다.

그리고 이순신은 뛰어난 능력과 인품으로 임진왜란에서 큰 공을 세웠다.

임진왜란을 승리로 이끈 이순신의 뒤에는 그의 능력을 미리 알아본 탁월한 능력을 가진 유성룡이 있었던 것이다.

유성룡은 관직 생활 동안 7년여에 걸친 임진왜란을 맞이했다. 임진왜란은 1592년 왜군이 명나라로 갈 수 있도록 조선 길을 빌려달라는 명분으로 일어났다. 당시 일본 사회는 무사계급 때문에 내부적으로 문제가 있었는데, 전쟁을 일으키면 무사계급의 관심을 밖으로 돌릴 수 있고 명나라를 정복할 기회도 주어지기 때문에 조선을 침략하였다.

왜군이 쳐들어오고, 왕실에 충주에서 패전했다는 보고가 전해지자 선조는 파천(播遷 임금이 난을 피해 도성을 떠나는 것)을 준비했다. 백성들에게는 도성을 버리지 않겠다고 하면서 몰래 성을 떠날 준비를 한 것이다. 당시 영의정 이산해는 선조의 파천을 찬성하였고, 좌의정 유성룡은 반대하였다.

유성룡은 선조의 파천 계획을 보고 세자 책봉이 시급하다고 판단하였다. 선조가 조선에 머물러 있다면 왜란을 극복하는 중심에 서 있을 것이지만, 요동으로 갈 경우에는 그런 역할을 기대하기 어려웠기 때문이다. 따라서 이에 대비하여 세자를 중심으로 왜란을 극복해야 한다고 보았다. 선조는 하루가 급한 듯 파천을 하였고, 이 소식을 들은 백성들은 궁에 불을 질렀다. 결국 임진왜란은 안으로는 민심의 분노를 사고, 밖으로는 왜군의 침략을 입은 전쟁이었다.

왜군에게 침략 당한 조선은 명나라에 도움을 요청하였다. 그러나 명나라는 일본이 조선을 정복할 경우 자신의 나라도 안전하지 못할 것으로 예상했고 본토에서 전쟁을 하는 것보다 산이 많은 조선을 전쟁터로 하는 것이 더 좋겠다고 판단하였다. 그리고 전쟁 시 필요한 식량과 물품들을 조선이 조달해 주기 때문에 명나라로선 나쁠 게 없었다.

조선은 명나라의 도움과 수군의 승리, 의병 항쟁 등으로 임진왜란에서 승리할 수 있었다. 전쟁으로 말미암아 조선은 사회 경제적으로 큰 혼란에 휩싸였고, 명나라는 쇠퇴하여 후금이 들어섰으며, 일본은 조선의 문화재를 약탈해 감으로써 문화 발전을 이룰 수 있었다.

1598년 임진왜란이 끝나려는 찰나 유성룡은 파직을 당하였다. 그런데 공교롭게도 유성룡이 파직당한 날은 이순신이 노량해전을 치른 날(선조31년, 1598년 11월 19일)이었다. 파직을 당한 이유는 임진왜란 초기에 유성룡이 선조의 파천을 반대하고 세자 책봉을 주장하여 선조에게 큰 미움을 샀기 때문이다. 유성룡은 파직당하고 임진왜란을 겪은 후 전쟁의 실상을 기록하고 훗날 일어날지 모를 일을 대비하기 위해《징비록》을 썼다.

유성룡은《징비록》집필을 마치고 3년 뒤(1607년), 66세에 병환으로 사망하였다. 유성룡의 죽음이 백성들에게 알려지자 백성들은 4일간 시장 문을 닫고 통곡하였으며, 사대부와 유생이 장삿날 4백여 명이나 모여들었다고 한다. 이 사실에서 유성룡은 왜란으로 조선이 어려운 시기에 백성을 버리지 않고 꿋꿋한 성품과 뛰어난 능력으로 조선을 구했음을 알 수 있다.

일본의 조선 침략

유성룡이 관작을 삭탈당했던 1598년 11월 19일은 이순신이 노량해전에 출전하여 전사한 날이다. "나의 죽음을 적들에게 알리지 말라!"는 이순신의 죽음이 자살설이라는 주장이 나오는 이유가 바로 여기에 있다. 유성룡은 이순신을 전라좌수사로 천거한 인물이며 이순신의 든든한 후원자였다. 그런 유성룡이 선조와 다른 관료들의 미움을 받아 관작을 삭탈당했다는 소식을 듣자 이순신도 자신의 위치가 불안해졌다. 전쟁에서 승리하고 돌아가도 낙동강 오리알 신세가 될 것이 뻔했기 때문이다. 그래서 굳이 이순신 자신이 출전하지 않아도 될 노량해전에 자진하여 나갔고, 전장에서 의연하게 죽음을 맞이하기 위한 계획을 세운 것이다. 그의 죽음이 자살인지 아닌지는 분명히 밝혀지지 않았지만 나라와 백성을 위해 큰 공을 세우고 전사했다는 사실은 명백히 남아 있다.

유성룡이 국정 생활을 하고 있을 때, 황윤길과 김성일이 일본 안팎의 상황을 알아보기 위해 사신으로 다녀왔다. 그런데 일본의 사정을 살펴보고 온 두 사신의 의견이 갈렸다. 황윤길은 곧 일본이 조선을 침략할 것이라 하였고, 김성일은 그럴 기미가 보이지 않는다고 하며 오히려 황윤길이 민심을 현혹시키고 있다고 하였다. 그러나 결국 일본은 조선을 침략하였고, 김성일은 역적으로 몰렸다.

하지만 김성일은 일본 상황을 제대로 판단하지 못한 것이 아니다. 갑작스런 일본 침략 발언으로 왕실과 민심이 혼란스러워질 것을 우려하여 위와 같이 말했던 것이다. 김성일의 의도는 좋았으나 현명한 해결책을 함께 마련하지 못하고 왜란이 일어난 것은 분통한 일이 아닐 수 없다.

2) 임진왜란을 말하다 ─《징비록》

《징비록(懲毖錄)》은 서책으로는 드물게 국보(132호)로 지정되어 있는 문화재로서, 서애 유성룡이 임진왜란 전후의 상황을 자세히 묘사한 기술문학이다. '징비(懲毖)'는 '지나간 일을 징계(懲戒)하고 뒷날 근심이 있을까 삼가다'라는 뜻이다. 유성룡이 임진왜란 당시 조선의 치욕적이고 참혹한 상황을 솔직하고 적나라하게 기록으로 남긴 의도가 바로 여기에 있다. 《징비록》엔 임진왜란 직전 일본과 교신했던 내용부터 침략당한 이후 7년여에 걸쳐 평정을 되찾기까지 왕과 조정의 움직임, 백성들의 피난생활 등 전쟁 참상이 사실 그대로 적혀 있다.

《징비록》은 상 · 하 2권과 〈녹후잡기〉, 《근포집》 2권, 《진사록》 9권, 《군문등록》 2권까지 총 16권으로 구성되어 있다. 《징비록》 2권에는 임진왜란의 원인과 전황이, 〈녹후잡기〉에는 전쟁 7년 동안 보고 들은 내용들이, 《근포집》에는 유성룡이 올린 차(箚)나 계사(啓辭)가, 《진사록》에는 1592년부터 1593년까지의 장계(狀啓)가, 《군문등록》에는 유성룡이 도체찰사로 재임할 때의 문이류(文移類)가 담겨 있다. 유성룡의 아들 유진이 1633년에 《서애집》을 간행할 때 처음 출간된 이후 여러 번 재간행되면서 현재의 16권으로 구성을 갖추었다.

그렇다면 《징비록》이 국보에 지정될 정도로 중요한 의미를 가지는 이유는 무엇일까? 그 첫째는 《징비록》의 집필 의도가 오늘날까지, 그리고 앞으로도 유효한 역사적 가치가 있기 때문이다. 우리가 역사를 공부하는 가장 큰 이유는 지난날을 돌이켜 봄으로써 현재를 어떻게 살 것인지, 그리고 미래를 어떻게 설계할 것인지 도움을 받기 위해서이다.

과거에 저질렀던 잘못을 되풀이하지 않기 위해서는 역사를 바로 알고 반성해야 한다. 《징비록》은 조선 최대의 과오였던 임진왜란 역사를 낱낱이 드러내 보여줌으로써, 후손들이 같은 역사를 되풀이하지 않도록 경계의 메시지를 주고 있다는 점에서 큰 의미가 있다.

둘째는 임진왜란에 대해 가장 잘 아는 인물이 객관적으로 기술한 문서라는 점이다. 유성룡은 당시 전쟁 수행 책임자 가운데 최고위 관리였고, 임진왜란의 한가운데서 전쟁의 진행 과정을 모두 지켜본 인물이다. 따라서 그의 관점에서 써진 글은 사건의 핵심과 실상을 가장 잘 반영하고 있다. 임진왜란 자체가 우리 역사에서 굉장히 중요한 사건이고, 《징비록》은 오늘날 우리가 그 사건을 가장 효과적으로 이해하고 참고할 수 있는 사료이다.

그렇다면 우린 《징비록》에서 어떤 교훈을 얻을 수 있을까? 《징비록》을 보면 임진왜란 직전에 일본이 조선에 통신사를 요청한 일이 있었다. 당시 두 나라는 서로 우습게 보는 관계였는데, 마지못한 조선이 서인 황윤길과 동인 김성일을 통신사로 보냈다. 일본에 다녀온 황윤길은 곧 일본의 침략이 있을 테니 대비해야 한다는 상소를 올렸다. 반면 김성일은 나라가 불안과 혼란에 빠질 것을 우려해 그 반대 의견을 올렸다. 조정에서는 황윤길의 의견을 묵살하였고, 얼마 후 왜병이 국경을 넘어 부산포로 쳐들어왔다.

조선은 오랜 기간 전쟁을 겪지 않아 아무런 대비가 되어있지 않았다. 더욱이 위기 상황에서도 안이하기 그지없었다. 왜군이 부산포에서 서울까지 오는 데엔 불과 20일밖에 걸리지 않았다. 죽은 백성들의 시체가 거리에서 썩어 갔고, 가족끼리도 서로 뜯어먹기에 이르렀다. 그러한 판국에 지도층이 취한 태도는 가관이었다. 선조는 백성을 버리고 명으로 도망치려 시도하였고, 세자 0순위였던 임해군은 적장에게 나라의 반을 줄 테니 목숨만 살려달라고 구걸하기도 하였다.

　이 기록을 보며 우린 국가 지도층의 자질과 능력이 얼마나 중요한지 깨달을 수 있다. 일본과의 외교 관계가 취약한 상황에서 국가 위기를 논하는 조정의 태도는 매우 안이했다. 그것이 바로 임진왜란을 불러일으킨 발단이었다. 전쟁 와중에도 각료들은 자기 살기에만 바빴고, 백성들은 안중에도 없었다. 이렇듯 임진왜란은 조선에게도, 유성룡 자신에게도 부끄럽고 가슴 아픈 역사였다. 그렇기에 《징비록》에 친필로 담긴 유성룡의 충정이 오늘날 우리에게 더욱 의미 있게 다가온다. 현재 《징비록》은 《난중일기》와 함께 국난 극복의 역사를 파악하는 데 매우 귀중한 자료로 평가되고 있으며, 안동시 풍천면 하회리 영모각에 소장되어 있다.

2. 교과서 속에서 만난 서애 유성룡

　지금으로부터 400여 년 전 어느 날, 한양의 백성들은 남산 봉수대에서 평소와는 달리 다섯 줄기의 연기가 피어오르는 것을 보았다. 사람들이 술렁거리고, 파발마의 말발굽 소리가 요란해지면서 '왜적이 쳐들어온다' 라는 소문이 퍼지기 시작하였다. 백성들은 불안에 떨면서도 설마 하는 눈치였다.

1592년 4월, 왜군은 명나라로 가는 길을 내 달라는 구실로 조선을 침략하였다. 그들은 부산진성과 동래성을 무너뜨리면서 한양을 향해 쳐들어왔다. 우리 군대는 준비를 제대로 하지 못하여 여기저기서 패하고 말았다.

왜군이 한양 부근까지 밀려오자, 선조는 한양을 떠나 평양을 거쳐 압록강 변의 의주까지 피란하였고, 명나라에 지원병을 요청하였다. (……)

이순신 장군의 승리는 패전을 거듭하던 조선군에게 용기를 불어넣어 주었다. 이순신 장군은 한산도 앞 바다 해전에서 가장 통쾌한 승리를 거두었다. 몇 차례의 해전에서 진 일본 수군이 모든 함대를 모아 총공격에 나서자, 이순신 장군은 이들을 한산도 앞 넓은 바다로 유인하였다. 그리고는 학이 날개를 편 모양으로 함대를 배치하는 진법을 폈다. 포위당한 왜군은 많은 군사와 배를 잃고 도망치기에 바빴다. 이 해전이 한산도 대첩이다. (……)

몇 년 후, 일본은 전쟁을 일으킨 것을 반성하고 다시 외교를 하자고 간청해 왔다. 이에 조선은 정기적으로 통신사를 파견하여 일본이 요청하는 학문과 기술, 그리고 문화를 전해 주었다.

— 초등학교 《사회 6-1》 중에서

중국 대륙에서는 여진족이 다시 일어나 힘을 키워 갔으며, 일본에서는 도요토미 히데요시가 100여 년에 걸친 전국 시대의 혼란을 수습하여 통일 국가를 이룩하였다. 도요토미는 불평 세력의 관심을 밖으로 쏠리게 하고 자신의 대륙 진출 야욕을 펴기 위해 조선을 침략하고자 하였다.

일본은 서양에서 들여온 조총으로 군대를 무장시키고, 침략을 위한 준비를 철저히 하였다. 그리고는 명을 정복하러 가는 데 길을 빌리자는 구실을 내세워 20여만 명의 군사를 출병시켰다. 이를 임진왜란이라고 한다. (……)

마침 도요토미가 사망하고 전세도 불리해지자 왜군은 철수하기 시작하였다. 이때 이순신은 퇴각하는 왜군을 노량에서 격멸하였으나, 적의 유탄에 맞아 장렬하게 전사하였다. 이로써 7년에 걸친 전쟁은 끝이 났다. (……)

임진왜란은 조선뿐만 아니라 일본과 중국에도 큰 타격을 주었다. 일본에서는 정권이 바뀌었고, 명도 전쟁으로 국력이 쇠약해져 결국 만주의 여진족에게 중국의 지배권을 내주게 되었다. 그러나 조선으로부터 여러 가지 문화재와 선진 문물이 일본에 전해져, 일본은 문화 발전을 이룰 수 있었다.

— 중학교 《국사》 중에서

3. 기출 문제 속에서 만난 서애 유성룡

사실판단과 가치판단

2008학년도 건국대학교 수시1학기 모집 논술고사에 제시된 글은 《징비록》에 나오는 한 장면을 보여준다. 일본에 간 통신사 황윤길과 김성일이 귀국해 일본이 침략할 가능성이 있는지에 관해 서로 다른 보고를 했다. 황윤길은 일본이 침략할 가능성이 있다고 보고했고, 김성일은 그렇지 않다고 한 것이다. 이에 유성룡은 김성일에게 다음과 같이 물었다.

"그대의 보고와 황윤길의 보고가 다른데, 만약에 정말로 왜가 쳐들어온다면 어떻게 한단 말이오?"

그러자 김성일이 대답했다.

"나도 어찌 왜가 쳐들어오지 않을 거라고 장담할 수 있겠소? 다만 황윤길이 상황을 너무 심각하게 말하여, 조정과 백성이 모두 놀라고 어지러워질까 봐 그리 했던 것뿐이오."

이 논술고사의 문제는 두 사람이 서로 다른 판단을 내리는 이유가 사실판단의 차이에 있는가 아니면 가치 판단에 있는가를 물어보고 있다.

이 질문에 앞서 또 다른 제시문에서는 사실판단이 있는 그대로의 사실, 즉 진리를 밝히는 판단이고 가치판단은 마땅히 해야 하는 일, 즉 올바른 실천을 목적으로 삼는 판단이라고 설명한다. 다시 말해 사실판단이란 '사실을 있는 그대로 서술하는' 주장이다. 반면에 가치판단이란 '사물이 어떠해야 한다' 는 가치관이 개입된 주장이다. 하늘이 푸르다는 것은 사실판단이고, 하늘을 푸르러야 한다는 것은 가치판단이다.

두 사람이 사신으로 일본에 건너가 같은 경험을 했음에도 서로 다른 판단을 하게 된 가장 큰 원인은 김성일이 일본이 침략할 것이라고 조정에 알렸을 경우, 조정과 백성이 혼란스러워 할 것을 염려했기 때문이다.

건국대학교 측이 발표한 해설에 따르면, 일본이 침략할 가능성이 없다고 보고한 김성일은 일본이 침략하지 않을 것이라고는 장담할 수 없지만, '혼란스러운 상황을 야기하는 것이 바람직하지 않다' 는 가치판단을 했다. 반면에 황윤길은 '사실을 있는 그대로 알려야 한다' 는 전제로부터 일본의 침략 가능성을 보고한 것이므로 두 사람의 의견 대립은 그들이 가지고 있는 가치판단의 차이에서 발생한다.

임진왜란과 김성일

결과적으로 김성일은 잘못된 보고를 함으로써 임진왜란에 큰 책임이 있는 인물이 되었다. 하지만 다음과 같은 《조선왕조실록》의 기사를 보면, 김성일은 이후 일본과의 전쟁에서 큰 공을 세우기도 했음이 드러난다.

"여러 도에서 의병이 일어났다. (……) 호남의 고경명, 김천일, 영남의 곽재우, 정인홍, 호서의 조헌이 가장 먼저 의병을 일으켰다. 이에 관군과 의병이 서로 갈등을 일으켰고 병사들 대개가 의병장과 화합하지 못했는데 다만 초토사 김성일은 요령 있게 잘 조화시켰기 때문에 영남의 의병이 그 덕분에 정중하게 대우를 받아 패하여 죽은 자가 적었다."

실 전 논 술

논술 문제

case 1 역사는 동전의 양면과 같다. 같은 물체를 보더라도 어느 방향에서 보느냐에 따라 그 해석은 크게 달라진다. 그래서 역사를 공부하는 사람들은 총체적이고 종합적인 사고 훈련이 필요하다. 아래에 있는 (가)~(라) 제시문을 읽고 물음에 답해 보시오.

가 일본의 小山常實(大月短期大學 교수)교수는 연합국 점령 하부터 소화시대를 거쳐 2006년까지의 중학교 공민교과서를 분석한《공민 교과서는 무엇을 가르쳐 왔나》를 펴냈다.

특히 독도문제를 포함한 일본의 영토문제를 취급한 후쇼사판 '새 공민교과서'를 분석하면서 교과서 사상 처음으로 북방영토, 독도, 센카쿠 문제들이 진지하게 취급한 것은 획기적인 것이라 평가하고 있다. 그러면서 '독도는 일본 고유 영토'라고 교과서에 쓰여 있지만 '한국이 부당으로 점거하고 있다' 는 표현도 추가되어야 한다고 의견을 밝히고 있다.

— 2008년 5월 27일, ㅇㅇ일보

나 '독도는 한국땅' 日 옛 지도 2점 발견

독도가 조선 영토와 같은 색으로 표시된 19세기 말 일본 지도 2점이 발견됐다. 독도를 조선 영토로 표기한 지도는 많지만 한반도와 같은 색으로 칠해 일본 및 중국(청나라) 영토와 구분한 지도가 나온 것은 이번이 처음이다.

1894년 제작된 '신찬 조선국전도(新撰 朝鮮國全圖)'와 '일청한 삼국대조 조선변란상세지도(日淸韓 三國對照 朝鮮變亂詳細地圖)' 사본이 공개되었다. 이날 함께 공개된 1882년에 제작된 조선 지도는 채색되지 않아 독도가 어느 나라 땅인지 알 수 없다.

'신찬 조선국전도'에서 일본과 중국은 무색이지만 '마쓰시마(松島)'라고 표시된 독도와 '다케시마(竹島)'라고 적힌 울릉도는 한반도와 같이 누렇게 채색돼 있다.

'조선변란상세지도'에도 독도는 한반도와 마찬가지로 붉게 채색돼 조선의 영토임이 명시돼 있으나 울릉도가 마쓰시마라고 적힌 데 비해 독도는 이름이 표시돼 있지 않다.

독도가 다케시마가 아닌 마쓰시마로 표기된 것은 제작자가 울릉도와 독도의 명칭을 혼동했기 때문인 것으로 보인다. 지도를 공개한 교수는 "이들 지도는 독도가 조선 땅이라는 당시 일본인들의 인식을 보여주는 사료"라고 설명했다.

— 2008년 2월 21일, ㅇㅇ신문

다 바다에서 승리가 계속되는 동안, 육지에서도 곽재우를 비롯한 의병들이 ㉠ <u>왜군과 독자적으로 전투를 하거나, 전열을 가다듬고 반격에 나선 관군을 도왔다.</u>

의병들은 10여 명에서부터 수천 명에 이르기까지 그 규모에 차이가 있었지만, ㉡ <u>나라를 구해야 한다는 신념은 한결같았다.</u> 이러한 마음을 가진 의병들이 전국적으로 일어나 왜군에 대항하였다.

바다에서는 이순신 장군이 이끄는 수군에 의해 보급로가 끊기고 육지에서는 나라를 구하기 위해 ⓒ 각지에서 일어난 의병과 관군에 패하자, 왜군은 더 이상 싸울 의욕을 잃었다. 이리하여 일본과의 전쟁은 노량 해전을 마지막으로 끝이 났다.

몇 년 후, 일본은 전쟁을 일으킨 것을 반성하고 다시 외교를 하자고 간청해 왔다. 이에 조선은 정기적으로 통신사를 파견하여 일본이 요청하는 학문과 기술, 그리고 문화를 전해 주었다.

— 초등학교 《사회 6-1》 중에서

라 도요토미는 불평 세력의 관심을 밖으로 쏠리게 하고 ⊙ 자신의 대륙 진출 야욕을 펴기 위해 조선을 침략하고자 하였다. 일본은 서양에서 들어온 조총으로 군대를 무장시키고, 침략을 위한 준비를 철저히 하였다. 그리고는 명을 정복하러 가는 데 길을 빌리자는 구실을 내세워 20여만 명의 군사를 출병시켰다. 이를 임진왜란이라고 한다. (……)

ⓛ 7년간의 전쟁은 조선의 승리로 끝났고, 일본의 침략 의도는 좌절되었다. 일본은 조선의 항복을 받지도 못했고, 영토를 얻지도 못했다. 그렇지만 이 전쟁으로 가장 큰 피해를 본 것은 조선이었다.

— 중학교 《국사》 중에서

1. 제시문 (가), (나)를 읽고 두 가지로 나누어진 입장을 보고 여러분이 생각

하는 역사가 무엇인지 정리해 보시오.

2. 제시문 (다)와 (라)는 교과서에 나와 있는 내용이다. 제시문 (다)와 (라)의 밑줄 친 부분을 유심히 읽어 보고 어떤 문제점이 있는지 제시문 (가), (나)의 입장을 종합적으로 생각해 본 후 적어 보시오.

생각 쓰기

생각 쓰기

생각 쓰기

가 임진왜란이 일어나기 오래 전부터 일본은 우리나라 해안 지역을 자주 침범했으나, 조선은 그때마다 이들을 물리쳤기에 대수롭지 않게 생각했다. 이율곡은 일본의 침입으로 나라가 위기에 처할 것을 염려하여 10만 명의 군사를 길러 대비해 두어야 한다고 주장했다. 그러나 그의 주장은 받아들여지지 않았다. 이 무렵, 일본은 오랫동안 계속된 내전이 끝나자 그 동안에 길러진 군사력을 다른 나라를 침략하는 데 이용하고자 하였다.

— 초등학교 《사회 6-1》 중에서

나 그때부터 우리 조정에서는 일본을 경계하기 시작했다. 국경 사정에 밝은 인물을 뽑아 남부 지방 삼도의 방어를 맡도록 했는데, 경상 감사에 김수, 전라 감사에 이광, 충청 감사에는 윤선각을 임명, 무기를 준비하고 성과 해자를 축조하도록 했다. 그 가운데서도 경상도에는 특히 많은 성을 쌓고, (……) 병영까지 신축하거나 고치도록 했다.

당시 나라는 평화로웠다. 조정과 백성 모두가 편안했던 까닭에 노역에 동원된 백성들은 불평을 늘어놓기 시작하였다. 나와 동년배인 이로도 내게 글을 보내왔다. '이 태평한 시대에 성을 쌓다니 무슨 당치 않은 일이오?' 그러곤 조정의 일에 불만을 늘어놓았다. '삼가 지방만 보더라도 앞에 정진 나루터가 가로막고 있소. 어

떻게 왜적이 그곳을 뛰어넘는단 말이오. 그런데도 무조건 성을 쌓는다고 백성을 괴롭히니 참으로 답답하오.'

아니 넓디넓은 바다를 사이에 두고도 막지 못한 왜적을 이까짓 한 줄기 냇물로 막을 수 있다니 내가 더 답답했다.

— 《징비록》 중에서

다 성은 작더라도 견고한 것이 무엇보다 중요한데, 반대로 크게만 지어 놓았던 것이다. 이는 당시 전쟁에 대한 의견이 분분했기 때문으로 보인다. 나라가 품고 있던 모든 힘이 한 곳에 집중될 수 없었던 것이다.

또한 병법의 활용, 장수 선발, 군사 훈련 방법 등 어떤 것도 제대로 갖추어져 있지 못했던 까닭에 전쟁이 발발하자 패하고 말았던 것이다.

— 《징비록》 중에서

라 "그렇게 되면 그대가 군사를 맡아야 할 터인데, 그래 적을 충분히 막아낼 자신이 있소?"

신립은 대수롭지 않게 답했다.

"그까짓 것 걱정할 것 없소이다."

나는 다시 말했다.

"그렇지가 않습니다. 과거에 왜군은 짧은 무기들만 가지고 있었소. 그러나 지금은 조총을 가지고 있습니다. 만만히 볼 상대가 아닌 것 같소."

　그러나 신립은 끝까지 태연한 말투로 대꾸했다.

　"아 그 조총이란 것이 쏠 때마다 맞는답디까?"

─《징비록》 중에서

생각 쓰기

생각 쓰기

case 3 다음의 글은 서애 유성룡이 쓴 《징비록》의 일부분이다. 이 글을 읽고 임진왜란의 경과 과정과 피해에 대해 자신의 생각을 쓰시오. (500자 내외)

가 1592년 4월 13일. 이날 왜적들이 몰려온 것이다. 왜적들이 타고 온 배가 대마도로부터 부산포 앞에 이르는 바다를 가득 메워 그 끝이 보이질 않았다. 마침 절영도로 사냥을 나갔던 부산 첨사 정발은 왜적의 침략을 보고받자 허겁지겁 성으로 돌아왔다. 그러나 적은 이미 상륙해 사방에서 몰려오고 있었고, 성은 삽시간에 함락되고 말았다. 좌수사 박홍은 적의 세력에 질려 성을 버리고 도망치고 말았다.

— 《징비록》 중에서

나 1592년 4월 30일. 임금과 함께 피난길에 올라 마산역을 지날 무렵, 밭에서 일하던 사람이 일행을 바라보더니 통곡하여 말하였다.

"나라님이 우리를 버리시면 우린 누굴 믿고 살아간단 말입니까?"

임진강에 이를 때까지 비는 멈추지 않았다.

— 《징비록》 중에서

다 1592년 5월 3일. 적은 서울에 들이닥쳤다. (……) 제청정에 머물고 있던 도원수 김명원은 적이 밀어닥치자 그저 바라만 볼 뿐 싸울 엄두도 내지 못했다. 그러다가 무기와 화포를 모두 강물 속에 버린 후 옷을 갈아입고 도망치기 시작했다. 이 모습을 본 종사관 심우정이 말렸으나 듣지 않았다. 서울에 있던 이양원 또한 한강을

354

지키던 병사들이 흩어졌다는 소식을 듣자 이미 글렀다 생각하곤 양주로 도망쳐 버렸다.

— 《징비록》 중에서

라 1593년 4월 20일. 성 안의 백성들은 백에 하나도 남아 있질 않았는데, 살아 있는 사람들조차 모두 굶주리고 병들어 있어 얼굴빛이 귀신같았다. 날씨마저 더워서 성 안이 죽은 사람과 죽은 말 썩는 냄새로 가득했는데 코를 막지 않고는 한 걸음도 떼기가 힘들었다. (……) 1593년 10월. 임금께서 서울로 돌아오셨다. (……) 조선 전역이 굶주림에 허덕이고 있었으며, 군량 운반에 지친 노인과 어린아이들이 곳곳에 쓰러져 있었다. 힘이 있는 자들은 모두 도적이 되었으며 전염병이 창궐하여 살아남은 사람도 별로 없었다. 심지어 아버지와 아들이 서로 잡아먹고 남편과 아내가 서로 죽이는 지경에 이르러 길가에는 죽은 사람들의 뼈가 잡초처럼 흩어져 있었다.

— 《징비록》 중에서

생각 쓰기

case 3 (가)와 (나)에 나타난 두 상황을 비교하시오.

가 르네상스 시대의 이탈리아를 예로 들어 보자. 이탈리아는 여러 개의 나라로 갈라져 있어서 크고 작은 분쟁이 끊이지 않았는데, 당시엔 어느 정도 전쟁 전문가라고 할 수 있는 용병이 주로 전쟁에 나가서 싸웠지. 피렌체 같은 도시 국가의 경우엔 상비군이라고 할 병력은 거의 없었고, 무슨 일이 있을 때마다 용병을 모집하거나 용병 대장과 상시 계약을 하는 수준이었어. 이게 이탈리아 대부분의 상황이었단다.

근데 큰 문제가 된 계기가 프랑스의 침입이었지. 프랑스 왕인 샤를이 나폴리의 왕위 계승권을 자기 거라고 주장하면서 이탈리아로 쳐들어왔거든. 당시 프랑스는 용병 외에도 반(半) 상비군을 보유하고 있었고 그 규모도 몇 만에 이를 정도였지. 이탈리아군은 전쟁 때에도 몇 천 명을 넘기는 경우가 드물었는데 말이야. 이런 양상은 이탈리아에 충격을 가져왔고, 마키아벨리 같은 인물이 상비군 양성을 주장했지만 결국 실패하게 되지. 결국 마키아벨리가 급조하다시피 한 상비군은 무너졌고, 이후 쫓겨났던 메디치 가문이 피렌체에 다시 돌아오면서 공화정은 끝장나게 된단다.

나 "임진왜란이 일어나기 전에 이이는 당시 조선의 현실을 보고 전쟁이 일어날 것을 짐작했어. 갑자기 전쟁이 일어난다면 과연 이길 수 있을까?"

"갑자기 일어나는 전쟁을 어떻게 이길 수 있어요? 백성들이 많이 다치지 않은 것만으로도 다행이겠는데요.”

“그래. 당연히 이길 수 없지. 그래서 이이는 나라에 십만의 군사를 기르자는 의견을 냈었단다. 수업시간에 들어봤을지 모르겠구나. ‘십만 양병설’이라고?”

“네. 들어봤어요.”

“이이의 의견을 들었다면 임진왜란을 충분히 대비할 수 있었을 거야. 하지만 이이의 의견은 받아들여지지 않았단다. 아빠가 조금 전에 말했지. 당시에 조선 신하들은 편 가르며 싸우느라 미래를 예견한 이이의 의견에 찬성할 수가 없었지. 이이의 의견에 찬성하지 않은 사람들 중에는 유성룡도 있었단다.”

“에? 정말요? 믿어지지 않아요.”

오늘 임진왜란에 대해 새로운 사실을 많이 알게 됩니다. 아빠와 이야기를 나눌수록 충효당을 더 꼼꼼히 보지 못한 것이 후회됩니다.

“이이의 말만 들었더라도 임진왜란은 일어나지 않았을 텐데요. 너무 안타까워요. 아빠.”

“임진왜란을 막을 수 있었던 기회를 여러 번 놓쳤지. 그리고 그 기회를 놓친 것에 대한 대가는 정말 참혹했지. 저 화면처럼 말이다.”

TV화면 속에서 조선에 쳐들어온 일본인들이 여기저기 집에 불을 지릅니다. 죽지 않기 위해 사람들은 여기저기로 뛰어다닙니다. 아이들과 여자들이 일본인들에게 잡히고 끌려갑니다. 힘없어 보이는 사람들을 공격하면서 아무렇지도 않게 죽입니다.

장면이 바뀌더니 일본인들이 지나간 후 마을의 모습이 보입니다. 마을은 잿더미가 되었고 길가에는 시체들이 쭉 늘어져 있습니다. 시체 옆에서 아이들 몇몇이 울고 있습니다. 죽은 사람이 엄마, 아빠인가 봅니다. 너무도 가슴 아픈 장면입니다.

— 《유성룡이 들려주는 징비록 이야기》 중에서

생각 쓰기

생각 쓰기

실 전 논 술

예시 답안

case 1　1. 제시문 (가)와 (나)는 독도 영토 소유권 분쟁에 대한 일본과 우리나라의 주류 입장 차이이다. 서로 독도는 자기 땅이라고 역사적 근거를 들어 팽팽히 주장하고 있다. 독도 영토권에 대한 엇갈린 주장이 나타나는 현상을 보았을 때 과거에 발생한 사건인 역사가 현재와 미래까지도 끊임없이 영향을 미치고 있다는 것을 알 수 있다. 그리고 과거에 일어난 객관적인 사건 기록이라도 어떤 사람이 어떤 관점에서 어떻게 해석하느냐에 따라 객관적인 사건 기록을 주관적으로 받아들인다. 역사는 과거 그대로 가만히 있는 것이 아니라 현재와 미래에 끊임없이 영향을 주고 있기 때문에 과거에 일어난 단순한 일로 치부해 버려서는 곤란하다. 독도 영토권 분쟁도 단순한 역사 오류를 바로 잡고자 해서 일어나는 일이 아니다. 작은 땅덩이 소유권 다툼이 아니라 독도 지역을 소유함으로 해서 현재와 앞으로 국제관계에서 일어날 변화를 계산하면서 나타나는 양상이다. 제시문 (나)는 독도가 우리나라의 영토라는 점을 알려주는 지도를 소개하고 있다. 고(古)지도는 역사를 연구할 때 쓰이는 사료이기도 하다. 그러나 사료라고 하여 모두 객관적인 사실을 보여주고 있는 것은 아니다. 모두가 객관적인 사실을 바탕으로 만들어진 사료들이라면 지금과 같은 분쟁은 일어나지 않았을 것이다. 사료를 모두 믿는 태도, 감정에 치우친 역사관을 배제하고 일본과 우리나라 사료를 철저히 비교하여 분석하는 자세를 길러야 한다.

2. 역사는 같은 사건이라 하더라도 어떤 사람이 서술하고 해석하느냐에 따라서 결

364

과 및 평가가 달라질 수 있다. 제시문 (다)와 (라)는 임진왜란을 설명하고 있다. 제시문 (라)에 명백히 나와 있듯이 임진왜란은 왜군이 가당치 않은 명분으로 조선을 침략하여 나라를 어지럽히고 백성을 괴롭히고 문화재를 약탈해 간 전란으로 설명하고 있다. 제시문 (다)와 (라)의 내용은 도요토미 히데요시가 개인 욕심으로 거대 군사를 이끌고 조선을 침략하였으며, 수군과 의병의 활동으로 조선이 큰 승리를 거두었다고 되어있다. 그러나 우리나라 역사를 설명하는 교과서가 임진왜란에 대한 객관적인 사실만 서술하였다고 할 수는 없다. '일본', '일본군'이란 명칭을 놔두고, '왜', '왜군'이란 단어를 사용하여, 일본을 조선보다 미개한 나라로 취급하고 있다. 그리고 당시 일반 백성들로 구성된 의병들의 활동을 애국심에만 바탕을 두고 있어 원인 설명이 부족하다. 또한 임진왜란에서 조선이 승리하였다고 하였지만 임진왜란은 일본이 아닌 조선 영토에서 일어난 전쟁이다. 전쟁의 승패를 떠나 나라를 황폐해졌고, 군사가 아닌 일반 백성들도 엄청난 영향을 미쳤다.

얻은 것보다 잃은 것이 더 많은 전쟁에서 과연 조선이 승리하였다고 할 수 있을까? 역사를 평가할 때는 우리나라 입장에만 평가할 것이 아니라 이해관계가 얽혀 있는 입장을 모두 분석하고 평가하여 미래 사회까지 조명할 수 있는 자세에서 시작해야 한다.

case 2 일본이 침략하기 전에 조선은 방어할 준비를 제대로 하지 않았다. 이 율곡이 앞날을 내다보고 군사를 길러 침략에 대비해야 한다고 주장했지만 받아들여지지 않았다. 일본을 경계해 성을 비롯한 방어용 군사시설을 마련하려는 시도는 있었지만 관리와 백성 모두가 일시적인 불편함을 참지 못하여 적극적인 자세를 보이지 않고 불평만 늘어놓았다. 무사 안일한 태도로 일관했고 만일의 사태에 대비하려는 유비무환의 자세도 없었다. 당시의 방어시설이 적의 침략을 막는 데 아무런 도움이 되지 않는데도 오히려 헛된 자신감만 넘치고 있었다. 특히 일본은 새로운 무기와 전술을 개발해 강력한 군대를 양성했지만, 조선은 일본을 얕잡아 보며 조총과 같은 신무기의 위력을 대수롭지 않게 여겼다. 적을 과소평가하고 우물 안 개구리식의 정세 판단으로 일본의 침략에 무방비 상태였고, 결국 일본은 조선을 쉽게 공격할 수 있었다.

case 3 왜군은 1592년 임진년 4월 13일(음력)에 부산포에 상륙해 불과 20일 만에 서울에 도착했다. 오늘날과 같은 교통수단이 없었던 것을 감안하면 거의 아무런 저항도 받지 않고 곧장 걸어서 서울에 도착한 셈이다. 왜군이 전쟁을 했다기보다는 행진을 했다고 말하는 것이 더 적절한 상황이었다. 그야말로 일본의 침략에 무방비 상태였던 것이 드러난다. 백성의 안전을 지켜야 할 지도자들은 도망치기에 급급했고, 백성은 의지할 데를 찾지 못해 절망적인 상태에 빠졌

366

다. 서울을 되찾았을 때, 백성은 굶주리고 병들어 심지어 부자와 부부가 서로 뜯어먹는 생지옥 같은 상황이 벌어졌다. 유성룡이 《징비록》을 남긴 이유는 바로 뼈저린 반성과 질책을 하고 후대에 경고하기 위해서였다. 조선은 임진왜란을 겪고서도 300년 후에 또 다시 일본의 식민지가 되었다. 다시는 뼈아픈 역사가 되풀이되지 않도록 유성룡이 남긴 유언과도 같은 이 《징비록》의 교훈을 되새기는 것이 무엇보다도 절실하다.

case **4** (가)는 르네상스 시기 이탈리아의 공화정이 무너지게 된 배경을, (나)는 임진왜란이 일어나게 된 배경을 이야기하고 있다. (가)에서 이탈리아는 내부 분쟁으로 시끄러운 가운데에서도 평상시 병력을 비축해 두지 않고 안일하게 국가를 운영하다가 결국 외부의 침략을 받아 무너지게 된다. 이 과정에서 국가의 위기를 감지한 마키아벨리는 상비군 양성을 주장한다. 그의 말을 들었다면 전쟁을 막을 수도 있었지만 이는 효과를 발휘하지 못했다. 그것이 가장 큰 실수로 작용하고 있다.

(나)에서도 마찬가지로 당시 조선 사회는 관리들의 부패 등 여러 내부적인 문제를 안고 있었다. 그리고 (가)처럼 무방비 상태와 다름없을 정도로 병력이 부실하였다. 이이는 이 틈을 노려 일본이 침략하려 한다는 위험을 느끼고 십만 양병설을 주장하였지만, 마키아벨리의 경우와 마찬가지로 무시당하고 말았다. 그리고

그것이 임진왜란을 막지 못한 커다란 요인으로 작용하고 있다.

두 경우 모두 공통적으로 국가 내부적인 분쟁과 함께 병력이 부실했다는 문제점을 안고 있다. 이는 적국에게 빈틈으로 작용하여 침략의 구실을 마련하였다. 병력을 강화해야 한다는 충신들의 의견은 간신배들의 모략에 덮여 무시당했고, 이는 결국 나라의 존폐 위기로 이어졌다.

무엇이 충언이고 무엇이 중상모략인지 판단함으로써 진정 국가를 위하는 길은 시대적 상황을 통찰하는 눈으로 여러 의견들을 종합적으로 볼 줄 아는 능력을 갖춤에 있다. 유성룡이《징비록》을 남긴 이유도 바로 그것이다. 같은 과오를 후손들이 되풀이하게 하지 않기 위함인 것이다.

논술 답안 쓰기

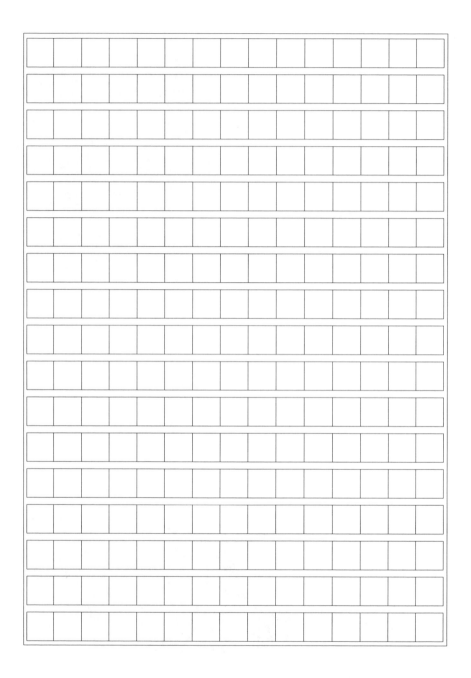

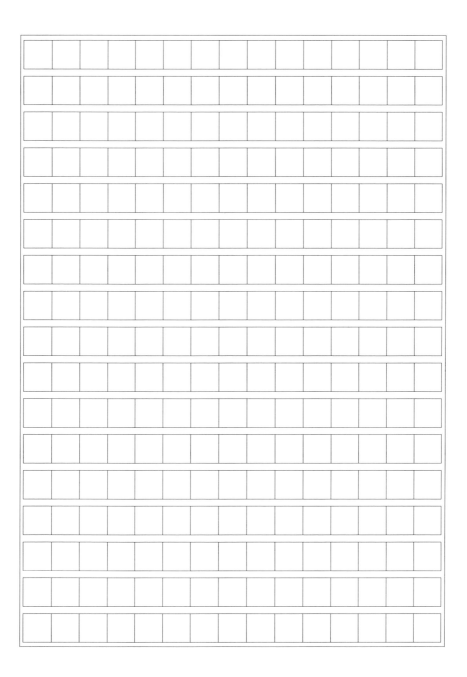

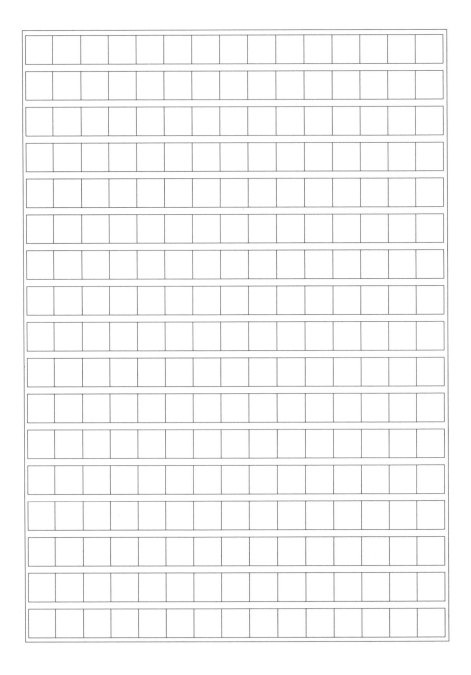

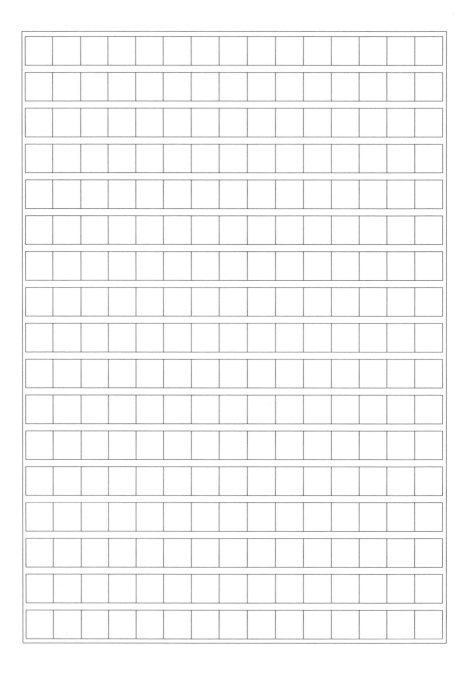

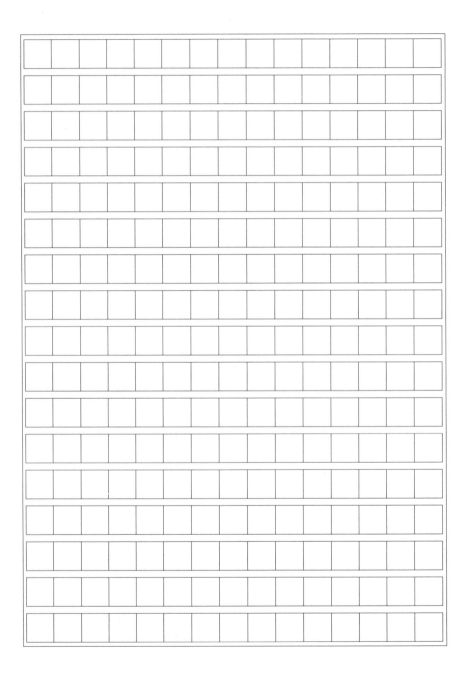